Nostalgie de la magie noire

VINCENT RAVALEC

Flammarion
LE DOIGT DE DIEU DANS UN CIEL TOUT BLANC *(romans)*
1 – Cantique de la racaille
2 – Wendy
3 – Nostalgie de la magie noire

Éditions J'ai lu
Cantique de la racaille (n° 4117/**5**)
Un pur moment de rock'n'roll *et autres nouvelles*
(n° 4261/**2**)
Wendy (n° 4467/**4**)
Vol de sucettes. Recel de bâtons (n° 4579/**4**)
La vie moderne (n° 4842/**3**)
Nostalgie de la magie noire (n° 5152/**4**)

Le Dilettante
L'ACCOMPLISSEMENT DES PROPHÉTIES *(nouvelles)*
1 – Un pur moment de rock'n'roll
2 – Les clefs du bonheur
3 – Vol de sucettes
4 – Recel de bâtons
5 – La vie moderne
6 – Treize contes étranges *(à paraître)*
7 – Visite du monde entier *(à paraître)*

LE DANGER DES COURANTS ÉLECTRIQUES
(textes avec photos de C. Mariaud)
1 – Portrait des hommes qui se branlent
2 – Conséquence de la réalité des morts
3 – Attirance envers le vide *(à paraître)*

Le Dilettante
RÉCITS LITTÉRAIRES
L'auteur

Mille et une nuits
MINI-RÉCITS
P.E.P., Projet d'Éducation Prioritaire

Vincent Ravalec

Nostalgie de la magie noire

Éditions J'ai lu

À Valérie, Benjamin et Amélie

Ce qui frappe l'historien de la magie, c'est, à travers les changements de toutes les autres institutions, le visage immuable de ses rites et de sa doctrine.

Jérôme-Antoine RONY, *La Magie*
coll. « Que sais-je ? », PUF, 1950

Livre un

Vision de la mort après la pluie

*Maintenant était venu le temps de remettre
son âme à Dieu. Maintenant était venu
le temps d'Armaguédon.*

S. S. Job, *Le Livre des derniers jours,*
F. Eher Verlag, 1933

Le soleil avait disparu pour toujours et les gargouilles de la cathédrale se mettaient à bouger, des gargouilles chuchotantes, bruissantes d'une rumeur énervée, je pense qu'il nous faudrait un parapluie ou un chapeau ou au moins quelque chose pour nous protéger de l'ondée, un ciré ou un anorak, un anorak c'est bien, maintenant ils en font des fourrés, imperméables à l'extérieur et fourrés en dedans, je crois même qu'il y a des promotions. Leurs gros yeux globuleux taillés dans le calcaire clignaient dans la pénombre. Il y a peu les autorités ecclésiastiques avaient ordonné la rénovation entière de la cathédrale mais sitôt les échafaudages enlevés, les murs étaient redevenus noirs et si certains en avaient profité pour incriminer la pollution et les voitures, toutes ces voitures et la fumée des usines, un jour cela nous jouera des tours, d'autres s'étaient répandus en imprécations, disant que l'archevêché était en cause et que c'était à l'évidence le signe que la religion avait bel et bien failli, un journal du soir avait même titré NOTRE-DAME DES MALÉDICTIONS, laissant supposer que c'était peut-être le Diable, ou au moins une entité trouble qui se cachait derrière tout ça.

Il pleuvait depuis maintenant trente jours et trente-trois nuits et Marianne venait de m'annoncer qu'elle était enceinte.

Au début, c'est d'abord la chaleur qui avait été terrible, nous avions connu dès le printemps une sécheresse sans précédent, mais avoir chaud en été n'est pas non plus la pire des punitions et quand au mois d'octobre les gens avaient réalisé qu'ils étaient encore en train de se baigner dans les fontaines, à moitié nus et profitant de ces vacances qui semblaient ne jamais vouloir finir, on n'aurait pas à ce moment-là trouvé beaucoup de monde pour s'en plaindre.

C'est juste après que le ciel s'était obscurci et que la pluie avait démarré, le 1er novembre, jour de la Toussaint.

Des nuages s'étaient accumulés à l'ouest, un voile blanchâtre avait paru recouvrir l'horizon et puis les premières gouttes s'étaient répandues, accueillies avec des cris de joie, la ville entière s'était retrouvée à danser dans les rues, célébrant le retour de l'eau, la fin de la sécheresse. La pluie n'avait pas cessé depuis.

– Tu sors ? m'avait demandé Marianne. Tu as vu qu'ils ont encore trouvé des serpents dans le métro ?

L'enfant était une idée qui flottait depuis un moment. J'y avais vaguement adhéré en espérant que le temps se chargerait de résoudre ce problème potentiel, un enfant parachuté au milieu de tout ce bordel il fallait vraiment n'avoir aucun sens des réalités pour tenter encore ce genre de proposition, mais malheureusement les choses avaient fini par se concrétiser.

– C'est certainement des évadés du quai de la Mégisserie, j'avais expliqué doucement, on n'est quand même pas dans la jungle, tu sais, on est à Paris.

J'ai rassemblé mes affaires dans un petit sac, le petit sac que je prenais quand j'allais travailler, j'ai dit à Marianne de ne pas s'inquiéter et je suis sorti avant qu'elle ait eu le temps d'embrayer sur Pharaon et les bâtons se transformant en reptiles. Toute cette histoire de bébé éclairait l'ensemble des données d'une perspective différente, sérieuse et grave, qui ne me plaisait qu'à moitié.

Le gardien regardait la pluie tomber, avec d'autres

personnes de l'immeuble, quand je suis passé il a dit ça ne s'arrête toujours pas et j'ai fait non, effectivement.

Récemment j'avais peint une petite église de poche, toute mignonne, environnée de fumée d'encens et de cette musique d'orgue qui donnait à l'espace quelque chose à la fois de pesant et d'immatériel, une église miniature dont on aurait pu se servir pour jouer à la poupée.

J'avais ajouté dans le ciel des deltaplanes moyen-âgeux faisant penser à des oiseaux vaguement maléfiques.

– Tu rentres tard ? criait Marianne par la fenêtre. Fais attention à toi, sois prudent.

Sans être précaire, notre situation n'était pas stable, nous vivions d'expédients. Marianne faisait des soumis par Minitel, des types qui voulaient qu'on les attache et qu'on les fouette, en général d'après elle rien d'autre, pas vraiment la pute, juste quelques coups de martinet et une paire de menottes trois après-midi par semaine. Le reste du temps on la voyait errer dans l'appartement, s'affairant à de mystérieux préparatifs ou fumant des cigarettes, il était plus ou moins question d'un spectacle de danse, une pièce pour laquelle elle confectionnait des costumes étranges, le Fou aux deux visages, la Vieille dame impure ou le Roi Cormoran en étaient les acteurs principaux.

Quant à moi, je me piquais d'ambitions picturales et j'escroquais des vieux. De pauvres vieux récupérés au hasard des musées, des visites guidées ou des jardins publics, que j'embobinais en leur expliquant que j'étais provincial, monté à Paris sur la foi d'une petite annonce pour m'associer dans une affaire de fruits et légumes et finalement dépouillé par des truands sans scrupules.

En général les vieux s'ennuient et sont friands de fariboles.

Dehors, la rue ressemblait à un paysage de désolation revu par un artiste moderne, depuis le début de la semaine des bâches pour voitures avaient fait leur apparition, de couleurs différentes, il y en avait des roses, des vert pomme, des violettes et des transparentes, donnant à l'ensemble cette tonalité particulière d'un soupçon de fantaisie au milieu des choses les plus sinistres, une rue de Paris pas particulièrement jolie et à moitié inondée, un jour gris du début d'une peut-être nouvelle fin du monde et parsemée d'empaquetages conceptuels multicolores. J'ai récupéré mon véhicule qui par chance démarrait encore et j'ai mis le cap sur mon projet du moment : rafler le gros magot à des papys et des mamies de l'ouest parisien rencontrés il y a peu. Avions-nous le profil idéal pour accueillir ici-bas un nouvel être, une vie prête à s'épanouir ? Je n'en étais pas certain.

A dire vrai j'aurais pu essayer de monnayer ma peinture, ou de me placer comme illustrateur, mais j'avais une certaine répugnance à nouer avec mes semblables des relations suivies ; hormis lorsqu'une obligation m'y contraignait j'étais plutôt tenté de me tenir à l'écart, et puis il me semblait que la moindre tentative vénale eût entaché de manière irrémédiable mon élan artistique. J'avais toujours à l'esprit le charme des peintures rupestres, au fond des grottes, attendant des millénaires dans une obscurité absolue, et pourtant d'une force et d'une énergie difficilement égalées.

La peinture était pour moi un acte quasi magique, presque le début de la sorcellerie, tout à fait incompatible avec la moindre forme de commercialisation.

Que tout s'effiloche pour le moment me laissait plutôt froid, je vaquais à mes occupations, à mes vieux, à mes toiles, à mon projet curieux de transcrire définitivement le mystère des cathédrales et l'interprétation ésotérique du grand œuvre.

Je n'avais pas comme Marianne cette angoisse de mort à conjurer en permanence.

Il y avait encore pas mal de circulation, à cause des inondations qui commençaient à prendre des proportions inquiétantes une coupure d'électricité avait été décidée, de manière à tenter une réétanchéisation du réseau, la ville allait donc être plongée jusqu'au lendemain matin dans un black-out complet, le noir, la pluie, et le reflet des phares dans l'eau. Si tout se passait bien j'aurais au matin de quoi prendre une décision en toute sérénité concernant ce problème de l'enfant.

Depuis plusieurs jours les médias avaient relayé l'information, des affichettes avaient été placardées un peu partout, invitant la population à rester cloîtrée chez elle, une sorte de couvre-feu avait été décrété et on ne voyait pratiquement personne dans les rues, sauf quelques attardés se hâtant et les colonnes de véhicules de l'E.D.F., secondée par l'armée, roulant doucement vers les lieux d'intervention, qui donnaient, si besoin en était encore, une impression terrible de mort, de guerre et d'état d'urgence.

Les vieux habitaient une sorte de lotissement, pas très grand, avec deux bâtiments mitoyens, une résidence de copropriétaires retraités, savourant les bénéfices coquets d'une vie de labeur. Dès les premiers troubles ils s'étaient bien sûr empressés de retirer leurs économies, l'annonce du black-out avait dû convaincre les derniers réticents. D'après mes supputations le magot devait être à son niveau optimum.

J'ai roulé dans la ville fantomatique, en direction du pont de Saint-Cloud, j'avais fait le plein d'essence dans l'après-midi et l'arrière de la voiture était chargé des accessoires nécessaires à la réussite de mon entreprise.

Un peu avant le bois de Boulogne un barrage m'a obligé à ralentir, des hommes en ciré agitaient des bâtons lumineux et quand je me suis arrêté à leur hauteur l'un d'eux a pesté comme quoi c'était vraiment anticivique de ne pas respecter le couvre-feu et qu'il y avait déjà assez d'ennuis avec la pluie, j'ai répondu que ma femme venait d'accoucher et que je fonçais vers l'heureux événement sans me soucier, j'espérais qu'ils le comprendraient, de cette histoire de black-out. Ils m'ont laissé passer en maugréant, à l'instant où je redémarrais mon regard a croisé une silhouette légèrement en retrait, vêtue également d'un ciré, et dont le visage dans la lumière de mes phares s'est dévoilé une brève seconde, me laissant saisi de stupeur, exactement comme si une puissante décharge m'avait traversé de part en part, la silhouette m'avait souri, d'un sourire amical un peu triste, et c'était un visage que je connaissais, le visage d'une fille qui était morte quelques années auparavant et à l'enterrement de qui j'avais assisté.

J'en avais la mâchoire paralysée. Mon Dieu j'ai essayé de murmurer, mon Dieu qu'est-ce que tu fais là, mais avant que j'aie eu le temps de bondir vers elle et de tirer l'affaire au clair, la forme a reculé dans la nuit et les hommes derrière m'ont crié d'avancer, ho ! tu bouges oui, et j'ai démarré, mes mains tremblantes enserrant le volant pendant que je me répétais que j'avais dû mal voir et que c'était certainement une erreur.

Ensuite comme j'arrivais à destination j'ai dû me concentrer sur mon affaire et chasser cette impression terrifiante, la rencontre avec un mort en chair et en os, mon timing était minuté et je me suis immédiatement mis au travail.

Je n'arrêtais pas de ressasser les mêmes pensées, mettre un enfant au monde était une décision grave, à ne pas prendre à la légère, une décision, si on y songeait avec objectivité, absolument effroyable, par moments la seule chose qui émergeait de mes cogitations c'était que de toute façon le monde était cuit, sans espoir, et que vouloir perpétuer cette sinistre comédie n'allait faire qu'aggraver la malédiction, alourdir le poids de nos fautes et par là même celui de nos fardeaux à venir, la seule raison objective était de faire plaisir à Marianne, je sais qu'elle en avait marre de ces histoires de Minitel et une petite poupée jolie était bien entendu le moyen simple et évident de donner un sens nouveau à son existence, de lui permettre d'accomplir enfin son destin de femme : devenir une mère.

J'ai arrêté le moteur un peu avant l'entrée du parking et j'ai glissé en roue libre jusqu'au milieu de la cour.

Ils avaient transformé un box à voitures en salle des coffres, avec une double cloison en parpaings et une porte blindée. Dans un premier temps j'ai neutralisé les issues avec des cadenas, de manière à ce que personne ne puisse sortir, et après j'ai enfoncé l'entrée des caves. Mon intervention risquait de faire un peu de bruit mais j'avais prévu la chose et mon plan tenait compte des impondérables matériels comme de la psychologie des victimes.

Ces gens ayant une forte propension à croire au surnaturel je leur avais donc préparé un programme en accord avec leur goût pour l'ésotérisme.

J'ai revêtu mon costume de combat, une tenue moulante noire où était dessiné un squelette phosphorescent, un casque surmonté de cornes de cervidé, Marianne avait joué avec une pièce stupide l'hiver d'avant, des grosses lunettes de ski complétaient le tableau. Le bruit allait immanquablement faire surgir les plus courageux et je n'avais aucune envie d'avoir recours à la violence ou aux menaces, j'avais préparé un ghetto blaster sur piles prêt à diffuser une musique horrible, une musique abstraite à vous faire dresser les cheveux sur la tête, plus quelques fusées éclairantes et moi en squelette apparaissant dans le feu d'artifice il n'y avait aucune chance pour qu'ils tentent un assaut.

Enfin devant vous une manifestation de l'invisible, ha ! ha !

Je dois reconnaître que par moments mon ingéniosité me terrifiait.

J'ai fini de démolir la porte des caves, il était zéro heure deux, on n'entendait que le floc-floc de la pluie rebondissant sur le toit en Plexiglas de l'abri à vélo.

La toile que j'étais en train de peindre en ce moment représentait une sorte d'être hybride, mi-homme mi-femme, à l'entrée d'un immense labyrinthe, Thésée face à son destin, et c'est exactement l'impression que j'avais ce soir, devant le trou béant des sous-sols, affublé d'un costume étrange et d'un casque à cornes, après un périple dans une ville inondée et privée, une nuit sans lune, de la moindre étincelle de lumière, une impression que s'offraient à moi de multiples chemins mais qu'en définitive un seul serait le bon. Tout mon attirail était monté sur un petit chariot que j'étais allé voler l'après-midi même près d'un chantier, je me sentais calme, concentré sur ma tâche et l'esprit dégagé du moindre scrupule, j'ai poussé mon caddie de fortune devant moi et j'ai pénétré à l'intérieur de la grotte.

En un quart de seconde j'avais installé à l'entresol des grands miroirs repérés lors de mes précédentes visites, je les ai positionnés de manière à ce que les lampes électriques des éventuels gêneurs se reflètent dedans et augmentent encore leur trouble, puis j'ai enfoncé la touche play du magnétophone, une plainte affreuse s'en est échappée, la pire des musiques contemporaines paraissait à côté une référence d'harmonie, et j'ai commencé à défoncer la double cloison de parpaings à la masse. Le téléphone non plus ne fonctionnait pas cette nuit-là.

A cet instant, peut-être à cause de mon accoutrement, ou des ombres que faisait ma silhouette prise dans le faisceau de ma torche, j'ai été traversé d'images bizarres, de vampires, attirés par le remue-ménage et venant tout autour, avides et aux aguets, mais je ne m'en suis pas soucié et quelques minutes plus tard j'avais pratiqué dans le mur une ouverture suffisamment grande pour pouvoir y passer le corps entier. Restait maintenant à vérifier mon hypothèse : avaient-ils tous cédé aux rumeurs alarmantes sur un krach boursier probable et avaient-ils rapatrié sur place leurs économies ? Le box était vide à l'exception d'une étagère supportant quelques livres ou cahiers, et d'une armoire blindée.

Avant je rêvais souvent de vieillards, qu'on avait organisé une guerre afin d'éradiquer la surpopulation, la guerre des vieux, je voyais mes propres grands-parents s'entre-tuant, l'un d'eux passait une immense rapière à travers la poitrine de l'autre, et du sang rouge jaillissait de sa bouche et de son nez. Une analyste m'avait dit un jour que c'était une réaction de défense extrêmement saine envers le monde des adultes, monde qui enfant ne m'inspirait que soupçon et méfiance. J'ai fixé mon explosif sur la porte de l'armoire, je me faisais l'impression d'un super-pro de la cambriole, le spécialiste qui me l'avait vendu avait été plutôt avare de conseils et j'étais curieux de voir le résultat, au moment où je mettais le feu à la mèche une voix a crié dans l'escalier.

Je me suis reculé, la déflagration a fait vibrer les piliers de l'étagère, instantanément la porte de l'armoire a paru s'être reçu un coup d'ouvre-boîtes géant, j'ai braqué ma lampe sur les parois de métal fondu, dans l'escalier les cris ont repris, j'ai reconnu la voix d'un des vieux, un ancien fondé de pouvoir de la B.N.P., si on m'avait demandé de parier sur le premier à tenter une apparition j'aurais misé sur lui, l'armoire était pleine, on distinguait les liasses soigneusement rangées et empilées, j'ai pensé je suis vraiment bon, je suis vraiment au top du top, et puis je suis sorti voir ce que je pouvais faire pour calmer le pépé.

– Qui que vous soyez, créature de Dieu, montrez-vous !

Je n'ai pas pu m'empêcher de trouver ça touchant, sacré lutin, qui que vous soyez, créature de Dieu, montrez-vous, j'ai balancé une première fusée vers le plafond en agitant mes bras comme un corbeau ivre et en hurlant, iiiirkkk, iiiirkkk, j'ai senti mon lapin battre en retraite, qui que vous soyez il ne s'attendait vraisemblablement pas à celle-là. Charles, a gémi une voix plus haut, Charles tu vois quelque chose, qu'est-ce que c'est ?, j'ai profité de ce bref répit pour faire main basse sur le contenu de l'armoire. On a entendu un bada-boum, suivi encore de cris, à dix contre un Charles venait de se péter la gueule dans l'escalier. J'ai récupéré mes outils, ajusté mon sac avec le magot sur le caddie et j'ai mis le cap vers la sortie, l'amour du travail bien fait, c'était une maxime favorite de mon grand-père. C'est à l'instant précis où je repassais la porte des sous-sols que le ghetto blaster s'est arrêté.

– Charles, ô mon Dieu Charles, mais réponds, réponds par pitié !

Il y a eu un silence glacial, tout s'est stabilisé d'un seul coup, un silence à vous pétrifier de terreur, comme avant l'arrivée de quelque chose de monstrueux, ou de quelqu'un, ça a duré plusieurs dizaines de secondes et de nouveau l'image des vampires s'est imposée, penchés sur leurs victimes et les suçotant avec délectation, et puis on a entendu la vieille qui sanglotait doucement, et puis encore plus rien, juste le bruit d'un corps rebondissant marche après marche dans l'escalier, tiré sans ménagement. J'ai réussi à m'arracher à cette attraction maléfique et j'ai filé ventre à terre jusqu'à ma voiture, le magot toujours arrimé solidement à ma caisse à outils, je ne sais pas ce qu'il y avait dans l'immeuble mais je n'avais aucune envie de rester pour faire sa connaissance.

Arrivé chez moi j'ai dormi du sommeil du juste et le

lendemain la journée était déjà bien entamée lorsque j'ai ouvert un œil.

Apparemment, l'électricité remarchait puisque Marianne était collée devant la télé, quelqu'un du gouvernement se félicitait de la célérité et de la remarquable efficience avec lesquelles les services concernés avaient su rétablir la situation. C'est là que l'on a appris que l'heure était grave et que tout le système avait failli capoter irrémédiablement. Concernant la pluie le bulletin de santé était stationnaire, une réunion au sommet devait avoir lieu de manière imminente, les plus grands spécialistes des sept pays industrialisés étaient ardemment priés de trouver une solution, le présentateur n'indiquait pas laquelle mais on se doutait qu'il s'agissait d'un truc vraiment fort, d'un truc capable d'arrêter le déluge. Le journal s'est achevé sur les drames liés au black-out, des viols, peu nombreux mais suffisamment sordides pour qu'on les signale, quelques cambriolages et surtout un incendie à Saint-Cloud qui avait ravagé une petite résidence habitée principalement par des retraités. On ne savait pas encore si le sinistre était d'origine criminelle.

– Alors, a voulu savoir Marianne, ça s'est passé comment ?

Tous les vieux avaient péri dans l'incendie, sauf une, grièvement brûlée. J'avais toujours laissé à Marianne un doute sur mes activités. Elle m'avait posé une fois la question, si c'était malhonnête et si je commettais des mauvaises actions, et j'avais répondu plus ou moins, que je me situais à la frontière, elle s'était contentée de cette explication.

Un peu comme toi, j'avais précisé, tu fouettes des masos, mais tu fais pas vraiment la pute.

Un instant j'ai repensé à la présence horrible ressentie la veille et l'idée m'a effleuré qu'avec toute ma mise en scène, plus le tableau que j'étais en train de peindre et cette nuit particulière sans lumière, j'avais peut-être convoqué un esprit, fait apparaître un diable, mais somme toute ça ne tenait pas tellement debout.

– Bien, ça s'est bien passé, plutôt même très bien...

Je savais ce que sous-entendait sa question, le gain était-il suffisant pour permettre l'enfantement ? La télévision finissait de détailler les dernières conséquences de la pluie. La liste ressemblait à une litanie saugrenue rendue particulièrement étrange par le ton convenu du présentateur.

– Nous sommes financièrement en mesure d'avoir un enfant.

J'avais fait une rapide estimation du butin et le résultat dépassait de très loin mes plus folles espérances. Entre le liquide, les titres et les bijoux il y avait de quoi se la couler douce pendant plusieurs années. Se la couler douce et peindre. Je l'ai sentie se détendre, elle n'a pas insisté mais nous savions elle et moi que c'était une cause entendue.

J'ai flemmardé un petit peu et ensuite je suis sorti, j'avais envie de voir la ville inondée, les réactions des gens et le curieux spectacle qu'offre une grande cité confrontée d'un seul coup au chaos et au marasme, les dernières grandes inondations dataient du début du siècle et il eût été dommage de manquer celle-là.

Sur place la situation était encore plus impressionnante qu'aux actualités, le bas des Champs-Elysées était complètement inondé, les lampadaires de la place de la Concorde émergeaient péniblement, de l'eau presque jusqu'à mi-hauteur, on voyait des toits d'automobiles affleurant çà et là et les jardins derrière le restaurant Ledoyen étaient également noyés, ne faisant plus avec la Seine qu'une mer incertaine envahie d'arbres et de statues perdant pied, un peu plus loin les Petit et Grand Palais, contre vents et marées, assuraient le bon fonctionnement des visites, l'eau semblait ménager l'ensemble des deux bâtiments et le reste de l'avenue était pour l'instant protégé par sa légère altitude des méfaits de la crue.

Des malins possesseurs d'embarcations louaient leurs services pour explorer plus avant les quartiers sinistrés, j'ai refait une petite inspection de l'exposition Dürer, l'*Apocalypse* y tenait une place de choix, et j'ai opté pour une promenade fluviale. J'ai embarqué sur un petit Zodiac manié à la perfection par son propriétaire et en un clin d'œil nous étions le long des quais submergés. L'île de la Cité avait été évacuée et les tours de la Conciergerie dépassaient des flots boueux comme un château fort en carton-pâte oublié sur une plage et surpris par la marée.

J'étais rentré chez moi troublé et pensif.

La nuit j'avais rêvé que les Immortels gouvernant le monde se réunissaient et examinaient la situation avec attention.

Quelques semaines plus tard le système achevait de se fissurer en profondeur, nous plongeant dans une période de grands bouleversements à l'issue floue et incertaine.

Trois jours avant les fêtes de fin d'année le réseau électrique, préservé miraculeusement depuis la mise en place du plan de sauvetage, le soir où j'avais dépouillé les vieux, avait rendu l'âme et en une seconde une nuit totale avait recouvert la ville, la télé et les communications s'étaient arrêtées, pendant que les eaux montaient toujours, et nous nous étions tous rendu compte avec stupeur que nous étions coincés dans un piège aquatique, fragiles et démunis face à cette succession de catastrophes, que notre invincibilité, que nous pensions sans faille, se retrouvait balayée en quelques coups de cuiller à pot par deux mois de pluie ininterrompue.

– Qu'est-ce qu'on va pouvoir faire ? s'était inquiétée Marianne.

Tous les gens autour de nous paraissaient vraiment

affligés, au trente-sixième dessous, sonnés par les circonstances, personne ne s'attendait à ça, il y a peu on faisait encore ses courses dans un supermarché, les victuailles et les produits de consommation courante s'entassaient sans difficulté, et aujourd'hui c'était comme un retour possible du Moyen Age, et peut-être même pire encore. Qu'est-ce qu'on va bien pouvoir faire maintenant ? Question qui revenait comme un leitmotiv, qu'allions-nous faire maintenant, maintenant que nous avions l'enfant, ou tout du moins sa manifestation, le gros ventre de Marianne et l'imminence probable de l'heureux événement.

La pluie continuait toujours et le ciel était si noir qu'il donnait à peine l'impression d'une vague différence entre le jour et la nuit. J'avais acheté un stock assez conséquent de bougies, Dieu merci nous ne manquions pas d'argent, et cette faible lueur me permettait quand même de peindre.

La logique eût certainement voulu que nous tentions de fuir pour essayer de nous réfugier ailleurs, mais juste avant la panne, quand la télé marchait encore, nous avions été abreuvés d'images terribles, de crues, de glissements de terrain, visiblement aucun endroit n'était sûr, ni dans le pays ni à l'étranger, et l'ensemble générait une sorte de paralysie des réactions, que faire, mon Dieu, que faire ? Marianne avait bien raison de poser la question.

J'avais opté pour une solution d'attente, attendre et voir venir, nous avions de l'argent, un toit, le quartier où nous habitions était encore préservé et demain serait peut-être plus clément qu'aujourd'hui. D'autre part il me répugnait de quitter aussi vite la scène grandiose que devenait Paris, engloutie par les eaux et pleurant ses malheurs.

Chaque matin j'allais faire mon tour en Zodiac, le pilote venait me chercher à la République, que je gagnais à pied, et nous partions pour une tournée d'inspection, des plongeurs s'étaient attaqués aux quartiers inondés et pour le moment il était encore relativement facile de s'approvisionner.

Par instants j'avais une sorte d'exaltation au spectacle de toute cette beauté.

Les flots arrivaient au-dessus des rez-de-chaussée, parfois aux étages, des gens se trouvaient bloqués depuis des semaines, des personnes impotentes, des enfants, des malades, il y avait certainement des morts un peu partout mais bizarrement malgré nos investigations aux quatre coins de ce nouvel océan, je n'en avais pas encore vu.

Le Zodiacman et moi avions fini par faire équipe, tous les jours je l'arrosais en billets de banque, heureusement l'argent avait encore cours, je redoutais ce moment où plus rien n'aurait de valeur et qui annoncerait inévitablement le retour de la violence et de la barbarie.

Les eaux avaient encore gagné du terrain, la place du Châtelet était aux trois quarts engloutie, seule surnageait la statue au milieu et les toits des théâtres, sur l'un des deux un groupe de Sauveteurs de la Salubrité publique s'agitaient autour d'une forme couchée. Depuis le début des catastrophes et la débandade générale qui s'était ensuivie des comités s'étaient constitués, sous l'appellation générique de Sauveteurs, au nom de ce qui restait de conscience civique et de volonté de conserver à notre organisation sociale un semblant de cohésion. Joël, le Zodiacman, a garé le bateau, et nous sommes descendus voir de plus près ce qu'il en était, avec leurs cirés et leurs bottes de différentes couleurs les Sauveteurs ressemblaient plus à une bande de rôdeurs qu'à des pompiers potentiels.

– Mets-le sur le côté, disait un des types, tu vois bien qu'il ne va pas tarder à passer.

Le moribond avait les yeux ouverts, il était vêtu d'un costume élégant, ses chaussures étaient des mocassins de prix et un papillon noir était posé en équilibre sur le bas de son pantalon, c'est ce qui m'a immédiatement frappé, la bonne qualité des habits et le papillon, le Sauveteur qui venait de parler était barbu et un bonnet enfoncé jusqu'aux yeux empêchait de distinguer son regard.

– Merde, a commenté Joël, il est en train de crever.

Et à la seconde où il disait ça j'ai vu, ou plutôt j'ai senti les fibres du gars qui se déchiraient, son essence même, la vie qui quittait son corps et l'abandonnait, les yeux certainement remplis de ce curieux tableau, le centre de Paris transformé en ville aquatique, et des semi-brigands avec des brassards penchés sur lui.

C'était la première fois de ma vie que je voyais quelqu'un mourir en direct. Le papillon était toujours accroché au revers du pantalon, battant des ailes pour se maintenir, un des Sauveteurs s'est baissé et a dit ça y est, en fermant les yeux du pauvre bougre, un autre s'est retourné vers nous et vers le Zodiac et nous a apostrophés en demandant ce qu'on fichait là, ce qu'on voulait. Le mort avait une chaîne en or autour du cou avec un pendentif, et le pendentif représentait une croix gammée à l'envers, un svastika, qui n'était pas un symbole très courant en Europe. Le papillon a soudain disparu de mon champ de vision, alors que j'avais pourtant la certitude de ne pas l'avoir quitté des yeux une seconde.

– Vous savez que toutes les embarcations doivent être réquisitionnées ?

J'ai eu l'impression que les paupières du cadavre se rouvraient et me regardaient mais c'était certainement une illusion.

– Réquisitionnées par qui ? s'est reculé Joël, par votre groupement de voleurs ?

Les autres Sauveteurs se sont retournés, celui avec le bonnet tenait un talkie-walkie, j'ai reculé aussi, Joël était déjà dans le Zodiac, un des Sauveteurs a mis la main à sa ceinture et Joël a sorti à toute vitesse un gros pistolet d'un sac en plastique. On se calme il a fait, personne ne touche au Zodiac et on reste bons copains. C'était comme une scène de bande dessinée postatomique où l'on se bat dans une ambiance de Far West pour du carburant ou des produits de première nécessité.

– Démarre, a crié Joël, démarre tout de suite !

Et comme l'autre faisait mine d'extraire son flingue du holster il a tiré, un peu au-dessus de la tête des types, pendant que je mettais les gaz et qu'on s'arrachait plein pot.

Au moment où je virais vers le large celui avec le bonnet vociférait dans son talkie, un autre était déjà en train d'enlever les vêtements du mort.

– Quelle bande d'enculés, a commenté Joël, c'est toute la racaille Front national qui a rejoint ces trucs-là, c'est voleurs et compagnie.

Le Zodiac a pris de la vitesse, nous étions en plein milieu de ce qu'avait été le fleuve et qui maintenant s'étendait partout. Peut-être allions-nous finir totalement engloutis, comme l'Atlantide, continent perdu s'enfonçant petit à petit sous les eaux. Des avions sont passés au-dessus de nos têtes, dans un raffut d'enfer, on en voyait parfois survoler la ville, sans qu'on sache très bien d'où ils venaient et qui les commandait, preuve malgré tout qu'il y avait encore quelque part une organisation ou un pouvoir en état de marche.

Les avions ont fait demi-tour, exécutant un looping gracieux, et de nouveau on a senti le souffle chaud des réacteurs.

Le toit du Trocadéro ressemblait à un rocher, blanc et plat, émergeant de toute cette masse sombre, j'ai conseillé de mettre le cap sur la tour Eiffel.

– Ô mon Dieu, j'ai presque crié, oh c'est affreux.

Mais dans le même temps je ne pouvais m'empêcher de trouver l'horreur qui s'offrait à nous plus que gigantesque, incroyable, il y avait des dizaines de cadavres, à tous les stades de la décomposition, coincés dans un des piliers de la tour, enchevêtrés dans les structures métalliques, certains avaient les os déjà mangés par les corbeaux et leurs orbites aveugles nous fixaient bêtement comme un concentré d'épouvante jeté à la surface de l'onde. Il y a peu au même endroit des milliers de touristes se pressaient chaque jour. J'ai demandé à Joël de refaire un passage, c'est un tableau extraordinaire j'ai expliqué, c'est un sujet grandiose, *Les Noyés de la tour Eiffel*, je suis sûr de pouvoir en faire une toile formidable.

Il n'a pas manifesté d'émotion particulière, au fil des jours et même si je le payais on était devenus un tantinet copains, suffisamment pour qu'il me raconte sa vie, les galères dans lesquelles il était avant et les affaires qu'il voulait essayer de remonter. Je suppose qu'il s'en fichait que j'éprouve un frisson artistique devant trois macchabées crucifiés du fait de la crue de la Seine à la tour Eiffel.

La scène tout entière, les expressions des squelettes, la peau qui pourrissait, les vaguelettes venant les agiter, leur donnait vie, tout cela était en un éclair gravé dans mon esprit, mon Dieu, j'ai redit, alors que Joël immobilisait le Zodiac face au chef-d'œuvre, mon Dieu quelle folie !

Les remous du bateau accentuaient encore l'impression que les corps bougeaient, putain a dit Joël, c'est trop, on dirait qu'ils nous tendent la main, j'étais comme hypnotisé, une fraction de seconde j'ai vu des visages connus se superposer aux têtes pourrissantes, les visages de mes parents, de ma sœur, de gens que j'avais fréquentés, et puis Joël m'a secoué en disant les avions, les avions reviennent, en remettant les gaz et en s'avançant sous les structures de la Tour, ça crépitait autour de nous, les aviateurs étaient en train de nous mitrailler, c'est la guerre a crié Joël, c'est la guerre ils veulent nous tuer, et alors que les deux chasseurs revenaient encore une fois en piqué vers leurs cibles, l'eau s'est mise à bouillonner, une puanteur atroce s'est répandue dans l'air, une puanteur de mort et de moisi, et une forme monstrueuse a jailli dans un bouillonnement noirâtre, le monstre du loch Ness en plein Paris, une forme si hideuse qu'aucun mot n'était possible pour la décrire, des espèces de tentacules se sont agrippés à la Tour, pendant que d'autres fauchaient le premier Mirage comme s'il s'était agi d'un oiseau ou d'un insecte, l'avion s'est crashé à cent mètres de nous, son copain ouvrait le feu sur la chose comme un hystérique et on en a profité pour se sauver aussi vite que possible, muets de terreur, j'avais la mâchoire qui tremblait et jusqu'à République on n'a pas réussi à échanger la moindre parole, trop choqués par ce qu'on venait de voir, un Léviathan, un monstre surgi des abîmes, et qui me confortait dans ce soupçon atroce qui tenaillait tout le monde depuis le début du marasme, nous étions bel et bien en train de vivre le début de la fin des temps.

Dans la rue de rares véhicules recouverts de blindages de fortune sillonnaient les grandes artères, invitant la population à se mettre au service des Sauveteurs.

J'étais rentré chez moi malade d'angoisse et complètement tourneboulé.

– Qu'est-ce qui se passe ? j'ai demandé sitôt arrivé. L'immeuble s'est fait attaquer ?

Tous les occupants étaient dehors, Marianne en tête, à brailler et à s'agiter. Plusieurs quartiers proches avaient été victimes de pillards, des immeubles s'étaient trouvés rançonnés, jusqu'à présent le nôtre étant situé dans une rue excentrée, ce mauvais coup du sort nous avait été épargné.

– Monsieur Victor est revenu, m'a annoncé Marianne d'une voix sépulcrale, nous l'avons tous vu et j'ai même parlé avec lui.

Monsieur Victor était un ancien voisin, récemment décédé, Marianne avait été à son enterrement.

– Monsieur Victor le voisin ?

Ils se sont tous mis à crier, oui, Monsieur Victor était apparu, en plein milieu de l'après-midi, vêtu d'une doudoune et dégoulinant de pluie, et il avait demandé son courrier. Monsieur Victor était mort très peu de temps avant le début des événements, il y avait là un mystère de plus que nous allions avoir du mal à percer.

– Je te jure, a presque pleuré Marianne, je suis sûre que c'était lui !

J'ai entrepris l'ascension des six étages, en disant à Marianne de monter, que Monsieur Victor soit ressuscité n'était pas pire que le reste, les noyés sur la tour Eiffel, les avions bombardeurs ou le Léviathan. C'est ce que j'ai failli lui dire, eh bien figure-toi que moi de mon côté j'ai vu un Léviathan comme dans la Bible, et qu'il a failli nous happer avec ses gros tentacules dégoûtants, mais je me suis abstenu, les autres piaillaient toujours, en tas devant les boîtes aux lettres, et je n'étais pas certain qu'elle ait le cœur à blaguer. Viens j'ai redit, monte, on va voir tout ça là-haut à tête reposée.

Mais une fois chez nous elle a fait une véritable crise de nerfs, hurlant qu'elle n'en pouvait plus, qu'elle avait peur, qu'est-ce qu'on allait devenir, et surtout l'enfant, pourquoi avions-nous pris une décision aussi stupide, des cris si affreux que les voisins ont dû penser que j'étais en train de la battre ou de l'étrangler, jusqu'à ce que j'arrive à la calmer et à la mettre au lit, comme si j'y pouvais quoi que ce soit, je trouve que vu les circonstances on ne s'en sortait déjà pas si mal, des gens mouraient de faim un peu partout, ce qui n'était pas notre cas, nous avions toujours à manger, qui plus est des mets de choix, qu'un plongeur me sortait de chez Hédiard et du Bon Marché, il n'y avait pas à franchement parler matière à se plaindre.

Evidemment cette histoire de retour du voisin était troublante, à rapprocher de ma vision la nuit des vieux, lorsque j'avais cru voir une fille que je savais morte.

La flamme des bougies projetait sur les murs des ombres fantomatiques, accentuant l'impression troublante du moment, la situation était confuse, j'ai tenté d'y réfléchir, en faisant abstraction des gémissements s'échappant de la chambre, mais sans succès, les cataclysmes et choses bizarres avaient l'air de se succéder à une telle vitesse qu'à part les subir au coup par coup je ne voyais pas très bien quoi faire. Au bout d'un moment les reniflements de Marianne se sont espacés, le silence est revenu, et j'ai enfin pu me mettre à peindre.

Moi aussi j'avais peur, mais se lamenter n'a jamais arrangé quoi que ce soit, je le savais d'expérience.

J'ai achevé un petit tableau en cours depuis un certain temps et que je n'arrivais pas à finir : *Les Immortels contemplant le monde*, en ajoutant à la toile une poésie tirée d'un *Don Juan* commis par Alexandre Dumas, et qui venait, dans mon esprit, préfigurer *Les Noyés de la tour Eiffel,*

**Et vous, morts, reprenez la vie
Qui vous fut lâchement ravie, Par l'eau, le poison,
ou le fer.**

**Mais laissez, dans vos tombes vides,
Vos suaires aux plis mouvants
Et couvrez vos membres livides
De la parure des vivants.**

Lorsque je suis allé me coucher Marianne ronflait comme une bienheureuse, j'ai soufflé les bougies et je me suis serré contre elle, son ventre faisait une espèce de gros renflement et j'ai senti quelque chose bouger, j'ai supposé qu'il s'agissait du bébé.

Les déguisements prévus pour le spectacle, le Fou aux deux visages et le Roi Cormoran, posés sur une chaise, paraissaient nous observer.

A mon réveil les aiguilles de la pendule, que nous continuions consciencieusement à remonter de façon à garder une trace exacte du cheminement des heures, indiquaient que la journée était largement entamée, il était presque midi, et derrière la porte résonnait une voix qui m'a immédiatement glacé, une voix juvénile et chantante, légèrement flûtée, qu'on entendait murmurer, DEMAIN IL FERA NOIR, DEMAIN SERA TOUT NOIR, et j'ai pensé merde elle est devenue cinglée, elle a perdu les pédales, mais dans la salle à manger ce n'était pas Marianne, prise de folie, qui ânonnait cette charmante comptine, mais un disque, vinyle, apparemment rayé, scandant la même phrase, DEMAIN IL FERA NOIR, DEMAIN SERA TOUT NOIR, Marianne se contentait de le regarder tourner fixement, comme hypnotisée, DEMAIN IL FERA NOIR, DEMAIN SERA TOUT NOIR, effectivement d'après ce qu'on voyait de la fenêtre ça n'avait pas l'air de vouloir se lever.

– Eh bien, j'ai lancé, ils ont remis le courant ?

Elle n'a pas répondu, son doigt indiquait la prise de la platine, débranchée, qui traînait par terre, le disque continuait toujours sa rotation, sans l'aide d'une quelconque énergie électrique, ce qui ne l'empêchait pas de répercuter dans les baffles la sinistre chansonnette, amplifiée comme si tout fonctionnait normalement.

Je me suis senti frissonner, envahi d'une chair de poule glaciale, DEMAIN IL FERA NOIR, DEMAIN SERA TOUT NOIR, le truc se serait mis à ricaner que je n'en aurais pas été autrement surpris, j'ai quand même trouvé la force d'écarter Marianne toujours accroupie devant le sortilège, et de dire d'une voix calme, en ramenant le bras du tourne-disque sur son reposoir, c'est marrant, hein, ça me l'a déjà fait, je pense que c'est de l'électricité statique qui s'accumule, l'objet du délit a réintégré sa pochette, *La Ronde des enfants*, je ne me souvenais même pas qu'on avait ça, et puis je suis allé me faire chauffer un café sur le réchaud à gaz, en continuant à blaguer, qu'est-ce que tu croyais que c'était, un loup-garou fredonnant, ha, ha, c'est vrai que ça a de quoi surprendre, mais mes plaisanteries sont tombées dans le vide, tout le reste de la journée elle est restée prostrée, le regard absent, habité par les fantômes, et je dois dire que de sentir cette présence muette dans mon dos était un peu déstabilisant pour vaquer à mes créations.

Vers la fin de l'après-midi elle a quand même condescendu à desserrer les dents pour m'informer qu'elle comptait se rendre à la réunion des Innocents, à l'église de Belleville, et qu'il serait souhaitable que je l'accompagne, les Innocents étaient un groupement de chrétiens réunis fraternellement, dans un souci de conjuration du mauvais sort et des épouvantes qui nous guettaient en ces temps troublés, les voisins en faisaient partie et avaient plusieurs fois insisté pour que Marianne s'y rende. Leurs prêchi-prêcha avaient donc fini par porter.

J'ai acquiescé, vaguement, en marmonnant on verra, peut-être, et aussitôt mon manque de sensibilité, ma froideur apparente sont revenus sur le tapis, elle a encore ressorti la fois où j'avais frappé une dame avec un journal parce qu'elle n'avançait pas assez vite dans la queue d'une boulangerie, et l'attitude que j'avais face à sa grossesse ou aux événements catastrophiques actuels, qui inquiétaient tout le monde sauf moi, en tout cas pas assez, même les voisins l'avaient remarqué, les réunions des Innocents étaient une chance qui s'offrait à nous, peut-être notre dernière, de se réconcilier avec Dieu, d'implorer sa protection.

– Depuis quand tu crois en Dieu, j'ai demandé, soudain intéressé, depuis que ça va mal ou bien ça t'a pris avant sans que je m'en rende compte ?

Mais là encore elle a cru à un sarcasme et la discussion a tourné court. Un peu avant vingt heures elle a commencé à se préparer et j'ai interrompu ma peinture pour l'accompagner.

Nous avons rejoint les voisins, présence tristounette au bas des escaliers, puis notre petit groupe, sans pratiquement échanger une parole, s'est fondu dans une autre procession plus fournie qui serpentait rue des Pyrénées, les gens tenaient des bougies allumées, protégées par des parapluies, les pieds chaussés de bottes en caoutchouc et psalmodiant des Ave et des bondieuseries, curieux tableau ne manquant pas de poésie, une poésie incongrue et légèrement désuète, touchante par sa naïveté et sa candeur, j'ai visualisé le bras visqueux du Léviathan venant faucher la masse des bigots et des cirés, les cris, les enfants aspirés par la bouche même du monstre, gobés, et moi légèrement en retrait, spectateur impuissant du carnage. Marianne avait mis une robe bleu marine qui moulait à ravir son ventre maintenant plus que rondouillet, la pluie humidifiait ses cheveux, décoiffant sa frange, elle était ravissante.

Notre digne convoi a pénétré dans l'église, doucement, sans faire de bruit, en repliant sagement les parapluies. Devant le porche, sous des parasols bon marché, des bénévoles proposaient une distribution de soupe et tout le monde sans exception y a fait une halte, savourant l'espèce de brouet avec délectation, la dame et le monsieur devant moi m'ont frappé par leur maigreur, les mains de la dame s'enroulaient autour du gobelet comme le mourant cramponné à son dernier souffle de vie, j'ai réalisé à ce moment-là qu'ils crevaient de faim, vous n'en prenez pas m'a dit la dame, vous ne voulez pas de votre Délice, c'est comme ça qu'ils avaient baptisé la pitance, du Délice, quel malheur j'ai pensé, quel malheur, avant de lui répondre, non merci, vous êtes gentille, j'ai déjà mangé, la laissant coite et effarée. L'église était pleine, à côté de moi se tenaient une boiteuse et un bossu et sur le côté, entourant l'autel, des moines en capuchon parachevaient cette petite touche moyenâgeuse.

– Qu'est-ce qu'il va se passer ? j'ai demandé à Marianne. Ils vont faire du rituel, on va devoir prier ?

Elle m'a lancé un regard agacé, oui, réellement agacé, comme si je la fatiguais, mais avant que j'aie eu le temps de la rifler en lui faisant remarquer qu'elle ne faisait pas autant la fine bouche avec les conserves d'épicerie de luxe que je ramenais tous les jours le prêtre est apparu à un balcon et la cérémonie a commencé.

– Innocents sont les hommes et les femmes de Dieu, innocents sont les enfants, purs et sans tache, serviteurs de notre Seigneur...

La foule a repris à sa suite, sans brailler, plutôt paisiblement, même plutôt tristement en fait, comme des agneaux apeurés, dépassés par les événements, interloqués par le tour que prenait soudain la destinée et suppliant le boucher d'avoir au moins une petite considération pour leur pelage immaculé, ne le tachez pas de ce sang rouge et poisseux, s'il vous plaît, par pitié. Marianne fredonnait avec les autres, j'ai laissé mon regard errer le long des murs de la nef, le chemin de croix y était représenté dans ses moindres détails, toute la question maintenant était de savoir si oui ou non notre salut serait au bout de la route.

– Tu as dit : « Il y aura beaucoup d'appelés et peu d'élus. »

J'avais l'impression désagréable d'une présence, de quelque chose au-dessus nous observant avec hostilité.

– Tu as dit : « Heureux sont les simples car le royaume des cieux leur est ouvert. »

Nichés de part et d'autre de la voûte, presque invisibles derrière des piliers, deux énormes succubes, noirs, leurs ailes repliées dans le dos les faisant ressembler à des ptérodactyles maléfiques, nous regardaient sans exprimer d'émotions particulières. Leurs yeux jaunâtres brillaient dans la pénombre comme « les pierres précieuses d'un trésor ancien, souillées et salies par des millénaires de meurtres, de sacrifices barbares, et d'infamie », c'est du moins l'image un peu convenue qui m'a traversé l'esprit.

– On bouge, j'ai murmuré entre mes dents, on dégage d'ici tout de suite.

L'orateur a levé la main, nous l'a montrée dans la faible lumière que diffusaient les torches, et sa voix a pris une expression terriblement mélodramatique, l'expression du soliste avant l'acte final.

– On bouge, j'ai redit à Marianne, mate au-dessus, ça craint.

J'aurais pu parler au mur l'effet aurait été le même. D'un côté ça m'ennuyait de la laisser aux prises avec je ne sais quelle démonerie potentielle, et de l'autre je ne me sentais pas trop de me farcir le bazar avec les vautours au-dessus prêts à nous faire un sort.

J'étais partagé.

– Je crois que je vais y aller, j'ai murmuré à son oreille, ça me soûle un peu.

D'autant que je m'étais attendu à de grandes scènes d'hystérie, à des gens se roulant par terre et suppliant, invoquant, trépignant leurs peurs et leurs effrois, pas à cette assemblée de veaux mous et tétanisés. J'ai jeté un petit coup d'œil vers le plafond, les deux choses étaient encore là. Car nous sommes les Innocents a rugi le prêtre. Et son autre main brandissait un couteau. Nous sommes les Innocents et pourtant nous t'offrons notre sang. De part et d'autre de l'orateur deux assistants imitaient chacun de ses gestes. Nous sommes les Innocents et pourtant nous t'offrons notre sang a repris la foule. La main tenant le couteau est venue chercher sa consœur, une trace rouge est apparue sur la peau que la lame venait d'inciser. Un Innocent t'offre son sang, s'est mis à sangloter le prêtre, je t'offre mon sang, tout le monde dans l'église avait sorti qui un petit poignard, un couteau de cuisine ou une lame de rasoir et s'entaillait la paume avec entrain.

Une seconde j'ai failli regretter de ne pas avoir suivi le conseil de Joël et de ne pas m'être procuré une arme. Je t'offre mon sang a gémi Marianne, le sang d'une Innocente. Les assesseurs avaient ouvert leurs bras, dans une singerie de crucifixion, le prêtre continuait à psalmodier ses pleurnicheries, je t'exhorte de nous sauver, de sauver tes enfants, et puis le tableau, qui commençait déjà à avoir une certaine force, a soudain basculé dans le fantastique le plus pur, les créatures ont battu l'air de leurs ailes, il y a eu un oooooôôôoooo, telle une vague soulevant la foule, et les goules, moineaux avides et décharnés, ont fondu sur les blessures ouvertes des deux assesseurs, leurs becs répugnants suçant et lapant à la source les gouttelettes suintantes, j'ai attrapé Marianne par le bras, la tirant suffisamment violemment pour qu'elle ne m'oppose pas de résistance et je l'ai poussée vers la sortie.

Expiez vos fautes ! expiez vos péchés ! j'ai poussé la porte de l'église, car seuls seront sauvés les Innocents ! Qu'est-ce que c'était ? a dit Marianne d'une voix faible, des oiseaux ? J'ai rouvert mon grand parapluie de golf, les rues étaient désertes, sombres et silencieuses, certainement assez proches de ce qu'elles avaient dû être dans le passé, avant l'électricité, les voitures, et les frénésies industrielles et consuméristes. Nous sommes rentrés sans encombre, un jeune couple dont la femme était enceinte et le mari plein d'attentions, tous les voisins étaient au raout religieux et je suis monté avec elle pour qu'elle n'ait pas peur, avant de ressortir, je devais voir Joël pour mettre au point nos expéditions des jours à venir.

– Non, j'ai conclu en l'embrassant, ce n'étaient pas des oiseaux.

Non, ce n'étaient pas des oiseaux. Et sur cette

constatation sinistre je l'ai laissée, ses yeux rongés par l'angoisse, je t'offre mon sang, sans savoir pourquoi en repensant au prêtre, les intonations de sa voix, ou sa calvitie, ou le ton ridicule qu'il avait, tout ça pour se faire boullotter ensuite par des créatures de cauchemar, j'avais envie de rigoler. Marianne s'en est aperçue et la moue pincée et presque haineuse qu'elle a arborée était à la mesure de son ressentiment.

Par moments elle commençait à me courir un peu, c'était la fin du monde, ou quelque chose d'approchant, en tout cas une période confuse, il n'y avait pas de raison en plus de se laisser gagner par la morosité.

Joël m'avait dit que je pouvais le trouver à la Java, une boîte rue du Faubourg-du-Temple, j'ai pris un vélo appartenant aux voisins dans le local à poubelles et je suis descendu en roue libre, des giclées de pluie dans mon sillage, à Belleville, au croisement du boulevard, des Sauveteurs m'ont crié de m'arrêter, arrête-toi ou on tire, mais je n'ai pas ralenti, il y avait de la lumière à l'intérieur du Président, le grand restaurant chinois, apparemment tout le monde ne respectait pas le couvre-feu. Devant le passage menant à la discothèque quelqu'un m'a dit stop, on ne passe pas, c'est privé ici, et j'ai dû expliquer pendant une demi-heure ce que je venais faire et avec qui j'avais rendez-vous, Joël, oui, celui qu'a le Zodiac, avant qu'enfin on aille le chercher et que je puisse entrer. Le videur avait une mitraillette en bandoulière et un fusil posé à côté de lui.

– Merde, j'ai fait à Joël, ça rigole pas chez vous.

L'intérieur de la Java étincelait de lasers, jeux de lumières et boules tango, la sono crachait une musique d'enfer et des danseurs s'agitaient sur la piste de danse.

– Putain, j'ai refait, cette fois-ci franchement sur le cul, vous avez de l'électricité ?

On s'est frayés un chemin dans la foule, c'est un ami a dit Joël à des gros accoudés au bar, je me porte garant, des filles debout sur une table basse se trémoussaient seins nus.

– On a un groupe électrogène de cinéma, c'est comme ça qu'on alimente.

J'ai pris place sur une des banquettes, je voulais me défaire d'une partie des bijoux récupérés chez les vieux et Joël m'avait proposé de me mettre en contact avec des clients possibles.

– Du nougat ? m'a proposé une jeune femme à côté.

Des piles de friandises de Montélimar s'entassaient sur un plateau d'argent, Joël en a pris un morceau, moi aussi, les gens buvaient, s'amusaient, on en voyait fumer des joints et se faire des lignes. Ça y est, m'a poussé Joël du coude, voilà le présentateur. Dans le fond, sur l'estrade, le rideau venait de s'ouvrir, quelqu'un a baissé les lumières, un visage connu s'est manifesté, à l'intérieur d'un petit cadre rappelant sans hésitation possible la télévision, un visage qu'on avait vu des centaines de fois, le visage de M. Albert, le roi de la météo au journal du soir.

– La météo ! s'est mise à hurler la foule, la météo !

M. Albert a esquissé un léger pas de danse, un éclairagiste a fait jouer l'éventail de lasers, la météo criait Joël à côté de moi, la météo !

« *Pom-polom-pomm-pomm-pom-lopom-pom-polom-pomm-pom-mesdames-et-messieurs-bonsoir.* »

La salle entière s'est déchaînée.

« *Aujourd'hui temps gris et nuageux, de fortes perturbations et un anticyclone nous conduisent à penser que cette petite précipitation risque de se poursuivre dans la journée de demain – pom-polom-pom-pom-polom-pom – mesdames et messieurs aujourd'hui il pleut et demain il pleuvra encore.* »

Un tonnerre d'applaudissements et des rires hystériques ont salué ses propos, le présentateur avait enfilé un petit chapeau pointu et s'époumonait sur un air populaire : il pleut, il pleut bergère, rentre tes blancs moutons, il pleut, il pleut bergère reprenait la foule, une sorte de tristesse bizarre s'est emparée de moi, cette fois pas d'erreur nous étions en plein dedans, le *Titanic* était en train de sombrer pendant que nous, légers et primesautiers, nous chantions, et cette constatation s'accompagnait d'un écho encore plus terrible que les monstres à l'église ou que l'horreur face à la tour Eiffel.

J'ai réglé ce que j'avais à régler avec les truands amis de Joël et je suis remonté sur mon vélo, au carrefour de Belleville les Sauveteurs ont encore crié stop, arrête-toi, mais sans plus de succès qu'à l'aller.

Marianne ne dormait pas et le reste de la nuit s'est passé en discussions et analyses diverses, avec toujours cette même et inutile question, qu'allions-nous faire et de quoi demain serait-il fait.

Elle avait peur, moi aussi, malheureusement, et il n'y avait pas grand-chose à y faire.

Les jours qui suivirent n'amenèrent pas de solution particulière, au printemps il pleuvait toujours, beaucoup de gens n'avaient pas résisté à la conjoncture et la survie devenant de plus en plus difficile je passais mon temps à courir ce marécage étrange qu'était devenu Paris dans l'espoir de ramener à ma compagne sur le point d'accoucher un minimum de nourriture.

Malgré tout je continuais à peindre, une succession de tableaux retraçant l'anéantissement par les flots de la capitale et les folies que cela suscitait.

Il y avait eu une accalmie du côté des phénomènes mystérieux, il nous restait juste pour l'instant l'humidité, la misère et la faim, le seul fait un tantinet hors du commun avait été la rencontre dans le parc des Buttes-Chaumont d'un grand cerf dont les bois formaient une croix apparemment en or, qui jetait des éclats lumineux presque insoutenables, comme si un concentré de rayon de soleil s'était reflété dedans, alors que nous n'avions depuis des mois que la grisaille et la nuit et que le souvenir du beau temps n'était plus qu'une chimère cruelle dont la seule évocation me remplissait de douleur et d'amertume. J'avais continué à voir Joël, plus ou moins en raison des affaires qui nous liaient, mais aussi par distraction, l'absence de musique me pesait et la Java proposait concert non stop et fiesta à toute heure, l'alcool et la drogue y coulaient à flots, en fait tous les stocks dénichés par les plongeurs arrivaient un jour ou l'autre ici, rue du Faubourg-du-Temple, rachetés par les caïds, et consommés par nous, les clients, en attente d'une aube qui tardait à venir, au fil des jours j'étais devenu un habitué de l'endroit.

Cela avait évidemment un côté rassurant de constater que ce qui avait été notre ordinaire jusque-là, la recherche du plaisir, l'insouciance, et une conception avide et frivole de l'existence, avait sous les spots et les néons de couleurs de la discothèque encore cours, au milieu des nougats de Montélimar et des assiettes de confit du Périgord, selon les dernières pêches des hommes-grenouilles, la fumée du shit et l'expression dure et attendue des truands, pas plus remués que ça par les rumeurs d'Armaguédon et les sinistres craquements qui nous parvenaient du monde, oui, c'était rassurant, apaisant et en même temps, tout le monde le savait, factice et vain, une dernière fantaisie avant le grand engloutissement. M. Albert était mort, d'une overdose, et c'est une prestation plus classique de strip-teaseuses qui l'avait remplacé, l'avantage étant qu'il était permis de baiser les filles après le spectacle, chose bien sûr impossible avec le météorologue.

La peinture accaparait malgré tout encore une grande partie de mon temps, toute cette tragédie semblait faire ressortir l'aspect grandiose, insolite, des détails les plus banals, le manque de toile m'avait conduit à me servir de différents supports, des planchettes de bois verni, des bouts de tissus tendus, des vieux sommiers, sur lesquels j'essayais de retranscrire la beauté du monde quelques instants avant l'éruption fatale, le grand raz-de-marée.

Dans les premiers jours d'avril, alors que l'accouchement était imminent, Marianne, alitée, n'avait pratiquement pas mis le nez dehors depuis notre sortie chez les Innocents, il s'est mis à neiger. La pluie qui tombait toujours s'est transformée d'abord en une espèce de goudron fondu, puis la température baissant encore, en neige, jusqu'à maintenant la rigueur de l'hiver nous avait épargnés, il faisait humide mais relativement doux, et d'un seul coup un froid glacial a enveloppé ce qui restait de la ville, gelant les gouttières et les torrents des caniveaux, en moins d'une semaine les trois quarts des vieux de l'immeuble avaient rendu l'âme, achevés par ce sournois coup de faux, le fleuve lui-même et les zones inondées commençaient à geler, j'en avais illico profité pour annexer les appartements libérés, si le paysage livré à la pluie suscitait une sorte de poésie un peu mélancolique, la blancheur de la neige dépassait de loin tout ce qu'on pouvait imaginer.

De l'appartement d'un des voisins morts j'avais une vue parfaite sur l'étendue immaculée et les toits, j'y avais donc installé mon nouvel atelier.

– Il neige, hurlaient les rares personnes qui s'aventuraient dehors, Seigneur accorde-nous ta pitié et ta miséricorde, épargne-nous ton courroux !

Les plongeurs ne pouvaient plus travailler, le froid atteignait des records polaires et il n'y avait plus rien à manger, plus de réserves à piller, sans électricité, sans combustibles. Pour se chauffer, les arbres des Buttes-Chaumont avaient été abattus et brûlés, un bois vert et mouillé qui fumait. Dans l'appartement nous avions froid, certes, et faim, aussi, mais somme toute un peu moins que nos concitoyens, j'avais amassé au fil de mes pérégrinations avec Joël et les gens de la Java une réserve suffisamment conséquente pour voir venir, j'avais des bouteilles de gaz d'avance, des conserves en nombre et les médicaments nécessaires à un accouchement de fortune. Pense au petit Jésus, j'avais dit à Marianne, lui ne possédait pas tout ça, il n'avait qu'un peu de paille et deux bestiaux et ça ne l'a pas empêché d'être ce qu'il est devenu. Elle n'a même pas souri, par moments nos rapports étaient un peu tendus.

Pour finir mon fils est né le 2 avril, le lendemain du 1er, ce qui aurait été une farce au goût douteux, et dans la matinée, alors que nous nous extasions, le docteur, une voisine restante et moi, sur le dénouement heureux de ce pari stupide, accoucher à la veille de l'explosion définitive de la planète, des clameurs sont montées de la rue, des clameurs de soulagement et de joie, la neige s'est arrêtée, la neige s'est arrêtée et le soleil revient.

– Que se passe-t-il ? a voulu savoir Marianne, il y a encore une catastrophe ?

J'ai écarté les volets et un rayon de soleil a illuminé la chambre, le ciel n'était pas bleu, loin de là, mais on sentait derrière la masse de nuages gris la présence incontestable de la lumière.

– Le soleil revient, j'ai dit, et il ne neige plus.

Marianne s'est mise à pleurer, la voisine aussi, dans son berceau l'enfant avait les yeux ouverts, c'est un jour particulier a fait le médecin, c'est peut-être le début d'une renaissance. Quant à moi je me suis fait la réflexion que la température remontant les glaces allaient fondre et qu'on allait pouvoir recommencer les plongées, j'avais beau avoir été prévoyant mes réserves n'étaient pas inépuisables.

Dans les jours qui suivirent les eaux baissèrent effectivement, dégageant les quartiers de la République, le Temple, les grands boulevards, l'Opéra et une partie du Marais. Il y avait de la neige, des immenses surfaces luisantes et gelées, une luminosité étrange qui faisait mal aux yeux, et un sentiment incrédule d'allégresse, au fur et à mesure que la masse liquide semblait aspirée vers quelque siphon magique, instrument d'une réparation à laquelle personne ne croyait plus, quand les rambardes du pont Neuf ont affleuré à la surface du magma les gens ont commencé à sortir dans les rues, à s'interpeller, à remercier le ciel, courant en masse vers la Seine et se frappant la poitrine, méfiants mais évidemment prêts à croire de toutes leurs forces que le cauchemar était bel et bien en train de prendre fin.

A l'aube de la troisième journée, il n'avait pratiquement pas fait nuit et la pénombre argentée dans laquelle baignaient les contours des quartiers ressuscités avait quelque chose d'envoûtant.

Nous étions des centaines face à la Conciergerie, contemplant le fil du fleuve en train de réintégrer doucement son lit, encore prisonnier d'une épaisse couche de glace et de neige, sur laquelle reposaient d'immenses oiseaux plus grands que des autruches, ressemblant vaguement à un croisement de flamants roses abâtardis d'aigles ou de vautours, de couleur bleue, un bleu de science-fiction, leur tête affublée d'un bec pointu, certains par moments sautillaient sur leurs pattes ou voletaient en cercle, dans une scène de toute beauté, à en rester saisi de stupeur, c'est d'ailleurs ce qui devait se passer pour tous ceux qui étaient là, muets, pétrifiés, à fixer ces étranges volatiles et les formes médiévales de l'île de la Cité, émergeant en arrière-fond, s'il nous avait plongés dans le chaos le Créateur des mondes n'avait en tout cas pas oublié de soigner ses effets.

– C'est Phénix, c'est Phénix renaissant de ses cendres, s'est exclamé un garçon assez jeune, plutôt genre étudiant intellectuel, c'est le signe que tout va repartir.

Les volatiles se sont élancés, on les a vus planer au-dessus de nous, majestueux et fiers, bleu c'est la couleur de l'espoir a dit quelqu'un d'autre, le jeune a raison, tout va repartir, et pour parachever le tableau le prêtre des Innocents a surgi, debout sur une espèce de planche que soutenaient quatre fidèles exsangues, les mains du prêtre n'étaient plus qu'une bouillie rougeâtre et des gouttes de son sang sont venues tacher la neige à ses pieds, nous t'avons donné notre sang et tu nous as entendus, et tu nous as entendus ont répété les acolytes-porteurs, et tu nous as entendus. Je me suis demandé si les Phénix n'étaient pas la version plaisante des monstres ailés aperçus dans l'église, l'autre versant d'une même réalité, aux conséquences tout aussi épouvantables mais d'apparence moins effrayante.

En tout état de cause cette matérialisation d'oiseaux magiques, au si joli plumage, décida à l'unanimité la fin du marasme, les glaces fondaient, le niveau des eaux baissait, plus même qu'il n'aurait dû car bientôt les bords des quais étaient visibles, on voyait les berges de la Seine se creuser et tout le fatras accumulé au fond apparaître, les carcasses de voitures, les sommiers, les détritus divers et surtout les cadavres, depuis le redoux et l'arrêt de la pluie c'est ce que l'on découvrait partout, des morts, des morts par centaines, par milliers, retenus prisonniers dans leurs appartements, noyés, morts de faim, de maladie, d'angoisse et de peur, à moitié décomposés, leurs chairs qui partaient en lambeaux, certains squelettes déjà blanchis par le courant ou les intempéries, accrochés, ficelés, leurs orbites aveugles vous regardant d'un air ironique, c'est du moins l'effet que ça nous faisait avec Joël, il y avait un paquet de magasins que les plongeurs n'avaient pas touchés et chaque jour c'était la ruée, le pillage ou plutôt la récupération, il fallait lutter en permanence et en plus du problème de la concurrence venait de l'odeur épouvantable de charnier.

Malgré cette ambiance macabre il y avait encore suffisamment de survivants pour se réjouir et acclamer la magnanimité du sort, l'heureuse conclusion de ces mois apocalyptiques, tout cela ne serait bientôt plus qu'un souvenir, sinistre certes, mais un souvenir quand même, pas pire dans le fond que les guerres mondiales ou que les camps, comme une traînée de poudre une immense fête a embrasé la rue, des manifestations de joie que même la Libération n'avait pas dû connaître, c'était revenir de l'au-delà et s'apercevoir que, mais oui, nous allions encore pouvoir faire bombance, rigoler et prendre du bon temps, et si le soleil n'était pas encore vraiment là (nous étions toujours sous cette chape un peu poisseuse distillant une lumière moite qui fatiguait le regard et finissait par donner au bout de la journée une vague migraine dont on avait du mal à se défaire), c'était malgré tout évident que cela n'était plus qu'une question de temps, de patience, pour que les choses reprennent leur juste cours et que nous puissions recommencer à vaquer aux occupations qui nous accaparaient depuis que le monde était monde, nos occupations d'hommes.

La bamboula fut extraordinaire, malgré la pénurie – toute relative d'ailleurs au vu des nouvelles réserves mises au jour par la décrue –, les deuils et le chagrin. Tout le monde avait des proches, des êtres chers disparus dans la tourmente, le traumatisme avait besoin de s'évacuer et quoi de mieux que quelques jours de folies, des gens qui ne se connaissaient pas la seconde d'avant chantaient ensemble, dansaient, reprenaient des airs populaires à tue-tête, l'alcool surgissait d'on ne sait où et la drogue aussi, à fumer, à sniffer, les femmes se donnaient comme si c'était la dernière fois, nous sommes vivants, nous sommes vivants et les monstres sont partis. Il y avait une telle foule sur la place du Châtelet et à la Bastille que j'ai vu de mes yeux une enfant paralytique, aux jambes gainées de ces horribles mécanismes de film d'horreur, écrasée contre un mur et succombant sous la pression de la masse, sa mère hurlante à ses côtés jusqu'à ce qu'elle soit elle aussi étouffée par le mouvement de la grappe compacte qui envahissait la rue. Nous sommes vivants, vivants, et après la pluie le beau temps. C'était poignant de sentir la communion qui émanait de cette frénésie, les hommes et les femmes rassemblés, enfin, dans un même élan de joie et d'allégresse.

Dans le milieu de la deuxième journée des réjouissances, alors que la nouba battait son plein, des officiels, paraît-il réfugiés au mont Valérien aux plus noires heures de la crise, firent leur apparition, ceints de ridicules écharpes tricolores, qui glorifiaient certainement on ne savait quelle idée de la ville, de la nation, ou du pouvoir. Ils exhortèrent la populace, s'employèrent à la rassurer, bientôt les services élémentaires que le peuple était en droit d'attendre d'un Etat digne de ce nom seraient remis en route, l'électricité, l'eau et pourquoi pas la télévision allaient réapparaître, nous sommes là, avec vous, et nous comptons sur la participation de chacun et sur l'effort de tous pour rebâtir ce que les inondations et la catastrophe ont détruit et abîmé.

La foule les lapida dans l'instant. Il n'y avait plus ni repères, ni contours visibles de ce qui nous attendait, la Seine, prenant le contre-pied des mois précédents, paraissait vouloir se vider complètement. Nous avions prénommé notre enfant Flavien, en souvenir d'un empereur romain, et Marianne se remettait difficilement des suites de l'accouchement. Tous les gens que je croisais semblaient déborder d'un optimisme que pour ma part j'étais loin de réussir à partager.

A la fin de la troisième semaine marquant l'arrêt de la neige, le début du renouveau, l'ambiance générale était proche de la folie, certains avaient essayé de quitter la ville et l'on s'était alors aperçu que les jeunes des cités de la périphérie tenaient les accès stratégiques et qu'il n'était pas question de franchir leurs barrages, les hommes étaient tués et rançonnés et les femmes violées, les enfants gardés comme futurs esclaves, c'est du moins ce que l'on racontait, avec des détails édifiants, des malheureuses prises comme des chiennes par des hordes entières, leurs compagnons humiliés et battus, tout ça pendant qu'ici l'atmosphère générale tournait à la psychose, la grande fête, le grand raout s'était terminé face à la tour Eiffel où le peuple en liesse, ivre de sa victoire sur les officiels à écharpe tricolore, était venu contempler le monstre agonisant, le Léviathan que nous avions croisé Joël et moi lors d'une de nos premières sorties ; du fait de l'assèchement du fleuve il gisait là, gigantesque horreur tentaculaire sortie directement de quelque enfer mythologique, d'où pouvait bien venir un bestiau pareil, c'était un mystère complet, toujours est-il que nous étions comme des idiots, à regarder le gros corps visqueux remuer faiblement, moi avec mon carnet noirci de croquis, quand tout à coup il y a eu un mouvement dans la masse spongieuse, les tentacules ont jailli à la vitesse de la lumière et sont venus rafler un pan entier des spectateurs, et le pire c'est que ceux qui étaient touchés semblaient disparaître, ou plutôt fondre, carbonisés, électrocutés par une énergie aussi improbable que maléfique, en un instant plus rien, les corps se volatilisaient dans le néant, les malheureux avaient à peine le temps de crier, j'ai eu le réflexe de me jeter en arrière, l'horreur s'est encore avalé quelques rangs avant de se mettre à vibrer, de translucide l'immonde gélatine a viré au rouge et la seconde suivante il n'y avait plus rien, ni Léviathan, ni spectateurs, nous étions quelques dizaines, suffocants, à être saufs et témoins de cette nouvelle sorcellerie, l'anéantissement par un monstre de milliers de nos semblables.

J'étais rentré chez nous pour trouver Marianne en larmes, le bébé avait fait une crise de tétanie et refusait le sein qu'on lui tendait, l'idée m'a traversé fugacement de leur tirer une balle dans la tête à bout portant, à la fois pour être tranquille et pour leur épargner les moments difficiles que je pressentais, et je dois reconnaître que c'était vraiment une drôle d'intention, pas du tout ce que j'étais censé penser ou ressentir en pareille circonstance, j'ai donc fait un effort, j'ai pris Flavien dans mes bras, je l'ai bercé, aller chercher un médecin n'aurait servi à rien, c'est déjà un miracle qu'on en ait eu un sous la main pour l'accouchement, j'ai fredonné une chanson bébête en lui massant les épaules et le cou, do-do, l'enfant-do, et effectivement mon bout de chou a fini par s'endormir après avoir tétouillé sa mère suffisamment pour qu'elle se sente rassurée et qu'elle soit certaine qu'il n'était ni comateux, ni anorexique.

Cette nuit-là j'ai rêvé du périphérique, j'allais assez vite, il y avait des voitures, de plus en plus de voitures, les panonceaux à cristaux liquides affichaient résolument périphérique fluide, périphérique fluide et pourtant l'embouteillage était patent, ma voiture venait s'encastrer dans les autres comme une grosse masse caoutchouteuse molle, une masse caoutchouteuse rappelant sans équivoque le monstre, le Léviathan, je reprenais conscience et une amertume et un chagrin immense me serraient la poitrine, il n'y avait plus de périphérique, et les panonceaux ne risquaient pas de marcher.

– Tu m'aimes ? m'a demandé Marianne au matin, est-ce que tu m'aimes ?

Mon Dieu comment pouvait-on en pareille circonstance perdre du temps avec ce genre de sottises.

– Je ne sais pas, j'ai dit, j'avais encore l'impression de mon cauchemar, du périphérique perdu, vraisemblablement que oui, mais le contexte s'y prête mal.

Elle s'est remise à sangloter, l'enfant s'est réveillé en braillant, j'ai préféré descendre à l'étage en dessous, à l'atelier, plutôt que de piquer une crise, ce qui m'était arrivé plusieurs fois ces derniers jours et que j'avais ensuite regretté.

Je me suis fait chauffer un café, pour combien de temps ce petit luxe serait-il encore possible, je ne croyais pas une seconde que tout était en train de s'arranger, que les périls étaient derrière nous et j'étais à méditer ce sombre pronostic, qu'allais-je faire du bébé, et de Marianne, quand on a frappé à la porte.

– Entrez, j'ai fait en me saisissant du flingue que j'avais fini par acheter, allez, entrez, c'est ouvert.

Mais ce n'était pas un pillard animé d'intentions hostiles, c'était juste la voisine qui tenait à me dire que ce n'était pas bien d'avoir réquisitionné l'appartement et volé les affaires, allusion à la razzia que j'avais effectuée dans l'immeuble après le décès de tous ces pauvres vieux, pendant qu'elle parlait je me suis fait la réflexion que pour un observateur extérieur, entre mes escroqueries, la nuit à Saint-Cloud, et ceux d'ici, j'étais vraiment le dernier des derniers, un prédateur de vieillards. C'est ça j'ai fini par répondre, vous avez raison, en lui faisant signe du bout du canon de dégager, excusez-moi mais j'ai du travail, j'ai besoin de peindre, son intervention comme la question de Marianne me fatiguaient franchement, quel intérêt de tergiverser à savoir si c'était mauvaise action, volonté méchante, amour sincère ou affection véritable, nous étions au pied du mur, face au cœur du problème, et à mon sens il n'y avait déjà pas assez de toutes nos forces pour essayer d'y voir clair.

La ville semblait maintenant avoir été la victime de quelque ouragan impitoyable, les carcasses de voitures emportées par les torrents s'étaient agglutinées dans le bas des rues, coincées contre les immeubles, imbriquées avec les réverbères arrachés, certains lieux étaient complètement dévastés, du Musée d'Orsay il ne restait rien, les toiles, les sculptures, tout avait péri, noyé, lessivé par le courant, au Louvre certaines salles étaient touchées et d'autres non, les vestiges égyptiens, de par leur poids, n'avaient pas bougé, et c'était comme le témoignage d'une ancienne magie, indestructible, dressé au milieu des pièces ravagées par la tourmente.

J'ai fait comme ça le tour de Paris, une sorte de pèlerinage auprès de mes endroits fétiches, le Lion de Denfert n'avait pas bronché, par contre les toits du Grand Palais, toutes les verrières magnifiques, étaient défoncés, brisés de partout, les Beaux-Arts étaient vides, avec encore des flaques d'eau sale par terre, j'ai terminé par le Jardin des Plantes, en évitant la Grande Galerie, de toute façon déjà massacrée par un effort aberrant de modernité, et je suis allé me recueillir dans la salle de paléontologie, le rez-de-chaussée était fichu, dévasté, mais l'étage avait survécu, miraculeusement, les mammouths et autres reconstitutions de squelettes préhistoriques étaient intacts, baignant dans une pénombre un peu inquiétante et une forte odeur de moisi. Avant le drame c'était une de mes destinations secrètes, en semaine il n'y avait jamais personne et je trouvais cela apaisant de pouvoir se promener au milieu de tous ces charmants compagnons, environné de ce décor à tomber, témoin d'une époque où Paris n'avait pas encore succombé à la laideur et au délire marchand des promoteurs. En sortant j'ai songé que de toute façon, vu la situation, ces petites considérations esthétiques n'avaient guère lieu d'être. Sur le quai d'Austerlitz des jeunes étaient en train de crever des réservoirs de voitures pour en récupérer le carburant, en me voyant l'un d'eux m'a montré à ses copains, j'ai pressé le pas en agitant mon flingue et ils n'ont pas insisté.

– Allez-vous-en, a crié Marianne à travers la porte, allez-vous-en, j'ai un fusil et je vais tirer !

La serrure était coincée, je n'arrivais pas à tourner la clef.

– C'est moi, j'ai hurlé à mon tour, ne tire surtout pas, c'est moi !

Est-ce qu'au bout d'un moment l'hystérie allait nous gagner tous, dicter le moindre de nos gestes ?

Elle a ouvert, la mine défaite, depuis six mois on ne

pouvait pas dire qu'elle resplendissait mais là elle semblait vraiment mal en point, pas à son avantage.

– C'est affreux, elle s'est jetée dans mes bras, c'est affreux, affreux, affreux !

Flavien était dans son berceau, gazouillant, apparemment en forme, il ne s'agissait donc pas d'un tracas d'ordre familial.

– Ils ont tué la voisine.

J'ai pris le temps de me déchausser, j'avais toujours, vainement, le réflexe d'aller dans la cuisine me laver au robinet en train de rouiller. Marianne s'est mise à pleurnicher, en se tordant les mains, il y avait eu une attaque, des jeunes étaient venus dans l'après-midi, vraisemblablement dans l'espoir de capturer les deux petites qui habitaient en face, deux sœurs mignonnettes qui avaient échappé aux pluies et aux misères, et comme ils n'y étaient pas parvenus, les deux adolescentes avaient réussi à s'enfuir par les toits, ils s'étaient rabattus sur la voisine et l'avaient violée.

– Violée, mais elle a au moins soixante ans ?

Ils avaient attendu, deux voitures et des scooters, il y avait une fille avec eux, et puis vers seize heures l'objet de leur espoir s'étant définitivement évaporé, ils avaient mis l'immeuble en face à sac, sans succès, et ensuite ils avaient donc attrapé la voisine, l'avaient couchée sur le capot d'une des voitures, et l'avaient violée, en prenant soin de mettre des préservatifs. Marianne avait suivi tout ça de derrière les rideaux tirés, liquéfiée de terreur, la voisine hurlait, elle était attachée en croix et les cordes étaient fixées aux essieux, si bien que quand leur ardeur assouvie les monstres avaient démarré elle avait eu les membres arrachés, écartelée par la mécanique sans pitié de la traction automobile, comme les cordes avaient dû finir par s'entortiller trop dans les roues, ils avaient stoppé, avaient jeté la pauvre loque démantelée sur les pavés, la fille en avait profité pour s'accroupir et lui pisser dessus, en riant, et puis ils avaient filé, en criant à la rue déserte qu'ils reviendraient. Nous reviendrons et notre vengeance sera terrible, ha, ha, ha !

J'avais des images de westerns qui se superposaient à la scène. Des uniformes de nazis, des églises incendiées. Merde, j'ai dit, quelle horreur.

– J'en peux plus, elle a gémi, fais quelque chose, je crois que je ne vais pas tenir le coup.

Je l'ai regardée d'un air stupide, que je fasse quoi j'ai dit, t'imagines que je suis le Bon Dieu, que je suis responsable de cette connerie ?, on a entendu du bruit dans la cage d'escalier et elle a fait le geste de s'arracher les cheveux, j'avais un chargeur plein, je ne m'étais jamais servi du pistolet, je n'étais même pas sûr qu'il marchait, je ne sais pas pourquoi mais tuer quelqu'un me semblait forcément problématique. Au nom du Tout-Puissant miséricordieux ouvrez et montrez-vous a mugi une voix, une voix d'outre-tombe. C'est bon j'ai dit, c'est pas des jeunes, je suis sorti sur le palier, l'escalier était plein de gens, une armée d'ombres silencieuses et hagardes, des fantômes, c'était le prêtre et sa clique. J'avais un souvenir étrange qui me trottait en tête, j'avais assisté il y a longtemps, pendant des vacances en Bretagne, à une discussion entre une commerçante et sa voisine, qui racontait qu'elle avait rompu la veille avec son amant, que celui-ci avait noyé son amertume dans l'alcool en boîte de nuit, et le matin, après sa nuit blanche, était rentré par la route des plages, en roulant vite, alors que dans le même temps une femme venait de se disputer violemment avec son mari et, poursuivie par celui-ci, sortait d'un camping en courant, la voiture avait percuté la femme de plein fouet et l'avait tuée, elle avait agonisé dans les bras du mari, vomissant des flots de sang qu'il essayait vainement d'endiguer, pendant que le délaissé, dans les brumes de l'ivresse, allumait une cigarette et contemplait hébété cette scène affreuse dont il était responsable, ce n'est même pas lui qui avait appelé les pompiers mais les gens du camping, après le mari lui avait cassé la gueule. A la fin la commerçante avait dit, je m'en rappelais très bien, c'est un accident regrettable mais je ne vais pas me remettre avec lui à cause de ça, ce serait idiot.

– Nous, curé de la paroisse des Hauts de Belleville, prêtre des Saints-Innocents, vous sommons de livrer les démons et esprits maléfiques que vous cachez dans votre logement !

Je n'avais pas la moindre idée des raisons qui me poussaient à me rappeler cette anecdote.

– Nous vous ordonnons de nous livrer, vivante, l'incarnation du mal qui a trouvé refuge dans cette maison.

La scène, le foldingue et ses comparses m'apparaissaient dans un halo rougeâtre.

– Des gens sont morts ici, tués par les vibrations malfaisantes, et ici est née la nouvelle forme humaine du malin.

J'ai dit qu'est-ce qu'il se passe ? qu'est-ce que vous voulez ? Les bigots derrière le prêtre avaient l'air absent, des zombies, pâles et muets, des zombies vaudous sous contrôle, j'aurais dû en avoir la chair de poule, je n'arrivais pas à être impressionné.

– Vous avez enfanté le Diable, une dernière fois donnez-nous l'enfant.

J'ai entendu les braillements de Marianne qui démarrait une crise de nerfs, une forme voletante est venue se positionner en haut de la rambarde de l'escalier, une forme aisément identifiable, la goule vue dans l'église, d'ailleurs aussitôt rejointe par sa consœur, j'ai levé le pistolet, j'avais en tête l'injonction de la Bible, celui qui a tué par les armes périra par les armes et cela m'a fait marquer un temps d'hésitation, donnez l'enfant, parents de Satan, les deux succubes battaient des ailes, avides et dégoûtants, il s'exhalait d'eux une odeur de pourri, j'ai essayé d'être calme, de temporiser, j'ai redit mais qu'est-ce qu'il se passe voyons, ce n'est pas sérieux, mais juste quand le fou prenait son élan pour se jeter sur moi et que je braquais le canon du flingue pour le fusiller à bout portant une masse de plumes a jailli d'on ne sait où, des griffes sont venues lui lacérer le visage, les deux goules s'en sont mêlées et en une seconde c'était le combat des fauves, exactement comme dans *King Kong* quand les animaux préhistoriques se foutent sur la gueule, devant le spectacle les zombies ont battu en retraite et je me suis mis à hurler, moi aussi comme un cinglé, c'est Dieu, c'est Dieu qui vient à notre secours, enculé, salaud, c'est vous le Diable, c'est vous Satan, en donnant des coups de pied à l'illuminé, qui, le pauvre, se tenait les yeux avec ses moignons sanguinolents. Il a raison a crié un zombie, c'est un Phénix, le Phénix est venu les sauver, nous sommes maudits, il y a encore eu une bousculade indescriptible et puis plus rien, j'étais sur le palier, sonné, à regarder une plume bleutée voltiger dans la lumière fade de la cage d'escalier.

– C'est bon, j'ai fait à Marianne, ils sont partis.

J'ai refermé la porte, elle était recroquevillée au fond de la salle à manger, Flavien serré contre elle, eh bien j'ai essayé d'ironiser, voilà une journée riche en événements, elle roulait des yeux en billes de loto d'une façon telle qu'une fois encore je me suis demandé si elle n'avait pas pivoté d'un seul coup dans la folie, je me suis approché et doucement j'ai ouvert ses bras tétanisés, viens là fils du Diable, viens voir papa, provoquant une nouvelle crise, mais qu'est-ce qu'on va faire, qu'est-ce qu'on va faire, j'ai posé Lucifer dans son berceau et j'ai suggéré qu'elle aille se calmer dans la chambre, elle me faisait mal à la tête.

Par moments j'en avais plus que ma claque.

– Et si c'était vrai, elle est revenue à la charge un

peu plus tard, si le prêtre avait raison, si c'était vraiment l'incarnation du Mal ?

J'ai fait semblant de réfléchir, après tout, oui, pourquoi pas, pourquoi n'aurions-nous pas mis au monde un être à part, une entité hors du commun promise à un avenir extraordinaire.

– Ça peut être aussi l'inverse, j'ai fini par lâcher, c'est peut-être un envoyé divin, c'est le jour où il est né que la neige a cessé de tomber, et tout à l'heure le Phénix est venu à notre secours, ne l'oublie pas.

J'ignorais la raison qui me poussait à sortir une bêtise pareille, toujours est-il qu'elle n'a pas répondu, son visage a pris une expression songeuse et tout le reste de la soirée je l'ai sentie qui méditait sur cette donnée inédite, était-elle oui ou non la nouvelle Vierge Marie ?

Dehors, passé les folies du soulagement et la grande prise de conscience que, ma foi, les épreuves n'étaient peut-être pas complètement derrière nous, il y avait eu un début de tentative de sursaut, des scientifiques et des intellectuels avaient constitué un comité de salut public, tentant tant bien que mal de recréer un semblant d'organisation sociale, les scientifiques s'étaient mis en tête de concocter un sérum nourrissant, à base de protéines, qui devait nous faire tenir en cas de famine complète, et les intellectuels organisaient des consultations pour rassurer les gens, apaiser les traumatismes, initiative louable devant nous épargner un retour éclair à l'homme de Neandertal, déjà on rencontrait dans la rue des gens divaguant, couverts de poux, en loques, qu'on évitait en détournant les yeux, des gens à quatre pattes grattant la terre à la recherche de racines ou de choses pires encore, au moins pendant les consultations des intellectuels les personnes présentes pouvaient parler, se soulager de leur terreur, quelqu'un lisait une poésie, ou jouait un peu de musique, comme des naufragés s'accrochant à l'unique et mince rocher émergeant des flots, j'avais incité Marianne à y aller, dans l'espoir que cela lui fasse prendre un peu de recul vis-à-vis des chocs qu'elle avait subis depuis l'accouchement mais malheureusement, malheureusement, là encore un impondérable mit un terme à ce louable soubresaut, des malfrats appâtés par cette idée de liqueur magique aux pouvoirs nutritionnels kidnappèrent les chimistes, rouèrent de coups les intellectuels, et cassèrent les quelques instruments de musique péniblement réunis : le comité de salut public de notre quartier avait fait long feu. Et du côté de la Java cela n'était pas la grande forme non plus, l'endroit avait brûlé et il y avait eu bagarre entre les associés, plusieurs étaient morts et les autres éparpillés, j'étais sans nouvelles de Joël, qui, de toute façon, son Zodiac devenu inutilisable, avait, convenons-en, perdu une grande part de son intérêt.

Nous étions, Marianne, Flavien et moi, dans tout ce marasme, des privilégiés, j'avais des stocks de nourriture, de quoi tenir environ un mois, l'eau commençait à manquer, ironie du sort après toute cette pluie, mais depuis le début du soi-disant renouveau il n'était pas tombé une goutte, pire, le moindre petit soupçon d'humidité paraissait s'être évaporé, le lit de la Seine n'était plus qu'un mince filet verdâtre d'eau croupie, dont le moindre contact provoquait des coliques terribles, ceux qui avaient survécu à la faim étaient donc en train de succomber à la soif.

Il y avait la famine, la misère, la peur, et dans tout ça les points de repère qui nous restaient n'étaient pas légion.

En ce qui concernait la peinture j'avais connu une pénurie en matières premières, aussi bien des toiles que de la peinture elle-même, et quand je regardais la masse des travaux déjà effectués, il y en avait des dizaines et des dizaines, dans l'appartement réquisitionné transformé en atelier, mon cœur se serrait à l'idée d'une destruction possible, ou d'un abandon, c'est les tableaux qui me faisaient rester à Paris, refuser cette idée qui devenait obsessionnelle chez Marianne, fuir, partir, n'importe où, mais ne pas rester prisonnier du piège, j'avais réussi des choses extraordinaires, des œuvres que je n'aurais jamais cru pouvoir peindre, les goules dans l'église, les noyés de la tour Eiffel, le Léviathan aspirant ses victimes, M. Albert à la Java, un portrait de Marianne et de l'enfant, l'innocence, le mystère et la pureté, face aux barbares violeurs, j'avais l'impression d'un condensé, d'une réussite totale, et malgré tout totalement vaine, personne ne verrait jamais ces toiles, Marianne y avait jeté au début un vague coup d'œil, manifestant un inintérêt profond, préoccupée par sa seule sécurité, son seul bien-être et celui de l'enfant, ce qui était somme toute compréhensible, qui peut s'enticher de peinture quand on est à la veille d'un anéantissement définitif, j'étais partagé entre une satisfaction extrême et le découragement le plus vif.

Au début de cette disette je m'étais rabattu sur des espaces plus restreints, des miniatures barbouillées sur des planchettes, des bouts de portes ou de volets, des choses facilement transportables, mais ensuite, pris d'une frénésie à la mesure des sujets qu'il me restait à peindre, j'avais décidé d'investir un lieu secret et d'en orner les murs de mes inspirations, marquant ainsi la ville de manière indélébile, à destination de survivants éventuels, ou des générations futures, ou encore de civilisations à venir, bouclant un chemin inauguré voilà des siècles par des lignées d'artistes illustres et de sorciers.

J'avais choisi trois lieux, les escaliers de la tour Saint-Jacques, le souterrain reliant la place de l'Etoile à l'Arc de Triomphe et une station de métro, Sèvres-Babylone, à cause de Babylone bien sûr, en me disant qu'une fois cette tâche achevée, des mètres carrés et des mètres carrés de fresques, le moment serait venu de quitter Paris.

C'était un travail de titan mais aussi une occupation pour laquelle j'étais possédé d'une fièvre étrange, comme si rien d'autre ne comptait, barbouiller des souterrains puant la pisse et la merde, peuples à venir ayez une pensée émue pour le peintre inconnu, Marianne n'en revenait pas. J'avais barricadé l'immeuble et elle avait un fusil chargé en permanence à côté de la porte, je partais le matin et rentrais le soir, travailleur infatigable dans un monde en perdition, le soleil n'avait toujours pas pointé le bout de son nez et nous vivions sous une lumière diffuse et crépusculaire, dans une atmosphère oppressante, il ne faisait pas franchement chaud mais on avait quand même cette impression d'agression continuelle, comme si l'air lui-même, ou la luminosité malsaine qui sourdait des nuages, était chargé de poison fatal.

Je peignais la mort, les morts, et la désolation, sans pouvoir m'arrêter, à longueur de journée, concentré sur mon labeur et indifférent au reste, à la maigreur de mes concitoyens, aux maladies, à leurs ventres gonflés par la faim et à l'air épouvantable qu'arboraient tous ces demi-fantômes, indifférent à leurs orbites creusées et à la détresse qui se dégageait de tant de malheur, seule comptait pour moi l'œuvre à peindre, la transcription poétique et grandiose des ruines de la civilisation.

Ce que ressentait certainement la population au milieu de tout ça c'était avant tout une cruelle injustice, les croyants notamment ne pouvaient s'empêcher de manifester leur tristesse, nous avons été bernés, le monde n'a pas de sens, il n'y a plus que le chaos et l'horreur et si malgré tout une logique régit cet enfer alors Seigneur qu'avons-nous fait pour mériter pareil châtiment, un peu comme les Innocents à Belleville, tout le monde essayait de rejeter la faute sur l'autre, les anciens gouvernants, le système absurde dans lequel les banquiers et les gens d'argent avaient maintenu la planète, les guerres, les mauvaises actions diverses et variées, les mœurs dissolues, mais moi Seigneur, moi, vois comme mon âme est pure et sans tache, des gens à bout de forces levaient le poing vers le ciel et maudissaient le créateur, les dieux et la vie en général, la vie qui avait pris cette tournure si peu prévisible pour nous qui récemment encore regardions les tourments de nos semblables sur un écran de télévision.

Un soir qu'absorbé par mes créations j'avais laissé passer l'heure fatidique du couvre-feu, depuis quelque temps une sorte de black-out informel était pratiqué par tous, se retrouver dehors après dix-huit heures était risqué, il y avait des bandes venues de la périphérie, des cinglés, des choses bizarres et paraît-il des revenants, des cohortes d'ectoplasmes blafards qui vous zigouillaient en un clin d'œil, vraisemblablement à coups de cris paralysants, et donc en général je ne faisais pas le téméraire, j'avais certes toujours mon pistolet mais je préférais rentrer à l'heure, rassurer Marianne qui chaque fois était au bord de la dépression et donc ce jour-là en m'extirpant du souterrain je m'étais aperçu que ma montre était arrêtée, la pile avait dû arriver au bout de sa vie de pile et rendre l'âme discrètement, pendant que je finissais mon *Défilé des martyrs sur les Champs-Elysées*, me laissant orphelin et sans indication précise d'heure, ce qui sur l'instant m'a causé un malaise plus grand que l'idée de devoir traverser la moitié de Paris dans le noir, j'ai eu l'impression que c'était un coup supplémentaire qui m'était porté, l'arrêt de ma montre précédant confusément dans mon esprit peut-être celui de mon souffle vital ou des battements de mon cœur, il faisait tellement nuit que je ne voyais même pas mes mains, dans le souterrain j'avais mes petites lampes confectionnées

à base d'huile récupérée dans les moteurs mais inuti-
lisables avec le vent, il faisait froid, j'avais vaguement
peur, et j'étais soudain démoralisé et fatigué.

Il fallait que je rentre. C'était une nécessité, Marianne n'allait pas tenir le coup, le pire était à craindre,
et de toute façon je me voyais mal passer la nuit là, j'ai
essayé de me repérer, de trouver l'avenue Hoche,
ensuite je n'avais plus qu'à récupérer Courcelles et les
Batignolles, jusqu'à Pigalle et après mon idée était de
suivre la ligne de métro, de Barbès à Belleville, en
espérant ne pas croiser trop de loups-garous, mais
comme un crétin je me suis trompé, j'ai dû prendre
Wagram au lieu de Hoche parce qu'en bas de l'avenue
je ne suis pas tombé sur les grilles du parc Monceau
mais sur un carrefour, avec des magasins de part et
d'autre, que j'ai identifiés en tâtonnant, le tabac et
ensuite de l'autre côté ce qui avait dû être un grand
magasin de musique, et pour couronner le tout une
clameur à vous glacer le sang a jailli dans mon dos,
assez lointaine mais suffisamment près pour que je
manque de m'en évanouir, un cri guttural, le cri des
Dacoïts dans *Bob Morane*, mais puissance dix, je
n'avais pas quarante-deux mille solutions, je suis entré
dans le bâtiment dévasté, je me sentais de moins en
moins bien, j'avais l'impression de couver une grippe.

C'était la première fois que j'avais la conviction profonde d'être le jouet des événements, de ne pas dominer la situation, même de manière partielle. Assieds-toi
a dit une voix au fond de mon cerveau. Assieds-toi et
attends. J'ai senti le frôlement du vent sur mon visage
et cette sensation, loin de m'apaiser, m'a plongé dans
une terreur abominable. Attends et regarde. Attends et
regarde, car la mort est sur toi.

La nuit a paru s'illuminer de mille feux, comme si
le soleil lui-même avait déchiré les ténèbres et tranquillement était venu inonder de sa joyeuse présence le
rez-de-chaussée aux trois quarts démoli, il m'a semblé

apercevoir des formes, des silhouettes autour de moi et j'ai pensé que cela devait être des mannequins, vestiges d'anciennes vitrines promotionnelles. La sensation de froid et de peur s'est dissipée, j'ai encore entendu les hurlements féroces des Dacoïts, mais sans m'en émouvoir plus que nécessaire, une présence amicale paraissait baigner les alentours.

Que la lumière soit, et la lumière est.

Je ne sais pas exactement ce qui m'a pris mais j'ai commencé à enlever mes vêtements, à me déshabiller.

Il y aura un soir, et il y aura un matin.

La paix, voilà exactement ce que j'éprouvais, un profond sentiment de paix.

Une vapeur s'élèvera et arrosera toute la surface du sol.

Les événements récents s'éclairaient soudainement d'une signification évidente. Je voyais la mort, les drames, les souffrances, à travers un prisme bienveillant et détaché.

L'Eternel Dieu plantera un jardin, un Eden, et tu pourras t'y ébattre, et prospérer.

Toute l'agitation des mois précédents me semblait vaine et puérile, semblable aux cabrioles d'un groupe d'enfants dans une cour de récréation.

Je suis là, a exprimé la voix, avec toi, en toi, et j'ai approuvé, silencieux et concentré, ma vision décuplée s'étendait sans limites jusqu'au bout de l'horizon, par-delà les collines du Bassin parisien et leurs murs grisâtres, oui, vous êtes là, avec moi, en moi, et à l'instant où quand même je me disais fugacement merde, mais qu'est-ce qu'il m'arrive, la divine chaleur s'est évanouie, la lumière aussi, j'étais à poil, il gelait, et surtout les cris des Dacoïts étaient maintenant tout proches, accompagnés d'une impression à vomir, l'impression qu'une chose abominable était en route, était sur le point d'arriver, précédée de ses émissaires, tremblez car le seigneur des ténèbres dans son immense mansuétude va vous honorer de sa présence, et c'est ça qui s'est passé, les Dacoïts se sont tus, j'entendais des frou-froutements d'ailes et des grognements baveux, fuis ou prosterne-toi car le prince des Enfers est descendu sur cette terre pour ton plus grand profit, j'étais assis en tailleur, perdu dans ma forêt de mannequins, j'avais des images bizarres de ces saddhous adorateurs de Shiva qui méditaient des nuits entières sur des char-niers et buvaient dans un bol taillé dans le crâne poli d'un défunt.

Dire exactement ce qui s'est passé cette nuit-là n'est pas possible, quand les lumières du jour ont paru mes cheveux étaient devenus blancs et les frontières entre les mondes, le nôtre, celui que l'on appelle l'au-delà, l'enfer et bien d'autres encore que nous ne soupçon-nons même pas, étaient devenues indistinctes et floues. Ce que j'avais pris pour des mannequins était en fait des cadavres, empilés par dizaines dans le hall, on avait dû essayer de les rassembler et puis on les avait laissés là, j'ai reconnu, malgré la pâleur et le côté figé du masque mortuaire, le visage de Joël émergeant d'un tas, et ce qui la veille aurait suscité de ma part émotion et étonnement n'a provoqué qu'une pensée superfi-cielle et légèrement atone, merde c'est Joël, le pauvre il est mort, maintenant les choses n'avaient plus la même importance.

J'ai traversé la ville sans croiser âme qui vive, les tas de gravats, les murs effondrés et les cadavres, toujours, qui dépassaient des amoncellements de détritus divers, pourris ou carbonisés, selon qu'ils avaient été inondés ou brûlés, ne provoquaient en moi qu'indifférence, peut-on encore affecter de quelque manière que ce soit quelqu'un revenu de parmi les morts, la crasse qui me collait au corps depuis la disparition de l'eau s'était volatilisée, je me sentais propre, propre, calme et serein, et la première chose que j'ai remarquée quand Marianne m'a ouvert la porte c'est qu'elle puait.

– Zut, j'ai dit, mais tu pues.

Honnêtement ça m'avait totalement échappé, elle m'a regardé, l'air que j'avais, fatigué, mais en même temps détendu, avec des cheveux blancs, je m'attendais à la trouver en larmes, défaite, mais elle aussi paraissait apaisée, sans la moindre trace d'agitation, je pue elle a dit, t'es sûr ?, elle tenait à la main un petit livre que j'ai pris pour un livre de prières mais qui s'est révélé tout autre chose, le *Livre de piété de la jeune fille*, qu'elle a ouvert en me fixant pleine d'une commisération gênante. Flavien dort ? j'ai demandé, il va bien ? et elle a juste acquiescé, presque distraitement, en souriant, je me suis réconciliée avec Dieu tu sais, je lui ai parlé, à l'instant même où de mon côté j'allais lui annoncer que moi j'avais vu le Diable, Satan en personne, et la vision d'autres mondes, de l'enfer et des abîmes, elle s'est remise à lire :

On dit que le Bon Dieu dans le cœur des enfants
Habite aussi vraiment que dans un sanctuaire
Aussi vraiment qu'aux cieux où l'ange le révère,
Et qu'il se plaît surtout dans les cœurs innocents :
Est-ce vrai, ma mère ?

J'étais abasourdi, c'est quoi ? j'ai voulu savoir, une chanson ?, mais elle a continué, « *Marie, devant porter dans son sein l'Auteur même de la sainteté, ne pouvait être souillée d'aucune tache ; il ne convenait pas que le démon eût quelque droit sur celle qui ne venait au monde que pour lui écraser la tête* », avant de marquer un silence et de me regarder à nouveau, t'es-tu déjà posé la question de savoir ce que je ressentais quand j'allais fouetter tous ces malades qu'on récupérait sur le Minitel, quand j'étais obligée de leur enfoncer des godemichés dans l'anus, tu as essayé d'imaginer l'avilissement que cela peut représenter pour une femme ?

L'impression de propreté, de paix, de bonne santé

qui m'avait accompagné depuis ma résurrection était en train de s'estomper à toute vitesse. Non, j'ai répondu, c'était comme si elle me décochait des flèches, des flèches acérées et pernicieuses, non, je ne suis pas à ta place, c'est difficile pour moi de le savoir.

– Tu m'as prostituée, as-tu déjà pris conscience de l'acte abject que cela représente, de la souillure que cela implique ?

J'avais des démangeaisons entre les doigts.

Pour elle j'avais volé et escroqué. Nous étions à égalité.

– Comprends-tu la chance unique, inouïe, que l'On m'a redonnée ?

J'avais dormi avec des cadavres, enlacés, et mes cheveux étaient devenus blancs, une angoisse incontrôlable s'emparait de moi, j'avais certainement attrapé la gale.

« *Il est mon modèle, et me dit tout bas comment il aurait fait ce devoir qui m'est commandé ;*
Il est mon soutien, il m'encourage et me fait supporter la fatigue et l'ennui ;
Il est ma récompense, et compte toutes les minutes du temps que je passe à faire mon devoir, pour me tenir compte de toutes ces minutes ;
Il est mon protecteur, éloignant le démon pendant que je prie ou que je travaille, éloignant les méchants ou me fortifiant contre leurs paroles, et ne permettant pas que je sois accablée.
Aussi je l'aime Jésus. »

La façon qu'elle avait de chuchoter était digne d'une séquence de thriller.

« *Et si mon corps est sale mon âme a été lavée à la plus limpide des sources.* »

S'est ensuivie une scène particulièrement pénible, où elle m'a décrit avec moult détails scabreux les turpitudes qu'elle devait accomplir avec les malades du martinet et le voile que ça avait déposé sur son âme, le fait qu'on l'ait malgré tout choisie pour porter l'Enfant était dû à cette grande foi gardée intacte au fond d'elle-même, à sa pureté virtuelle.

– L'Enfant, je l'ai interrompue, tu veux dire Flavien ?

J'étais pris d'une envie effroyable de baiser, je ne l'avais pas touchée depuis le début de sa grossesse, les seules incartades qui m'avaient été permises c'était à la Java, et qui commençaient à dater.

– T'es vraiment bouché, elle a fait, tu n'as donc pas encore compris que Flavien n'était pas un enfant comme les autres.

Le fait qu'elle pue se chargeait soudainement d'une plus-value érotique indéniable, je me suis avancé vers elle et je l'ai prise dans mes bras, tu pues j'ai redit, mais c'est pas désagréable.

Sa bouche s'est ouverte et refermée, elle roulait des yeux en billes de loto. J'ai posé la main sur ses nichons. J'ai envie de te baiser, de te baiser super fort. Je bandais tellement que ma bite me faisait mal, je me suis collé pour l'embrasser, viens là jeune fille pieuse, avant tous ces événements il y a des fois où l'on rigolait bien. Elle m'a repoussé de toutes ses forces, mais comment peux-tu, comment oses-tu, comme si elle était déjà la grande prêtresse intouchable du dernier des cultes en vue.

– Arrête, j'ai fait, t'exagères...

C'était plus fort que moi, j'avais sorti mon zob et essayé d'attraper sa main pour qu'elle me branle, fous-toi à poil, j'ai grogné, fous-toi à poil et suce-moi comme tu suçais les soumis, ce qui l'a fait couiner mais tu es fou, tu es fou, le Diable est rentré en toi, je le vois.

– Tourne-toi, je vais t'enculer !

J'avais des tremblements partout dans le corps, la tête me tournait. Elle s'est carapatée vers la porte de la chambre de Flavien en hurlant je t'en conjure pas le petit, comme si mon intention était de les égorger tous les deux, j'avais juste envie de faire l'amour, rien de plus, mais à ce moment-là j'ai perdu l'équilibre et je suis tombé à terre. Ma vue s'est brouillée, je voyais Marianne a travers un nuage rougeâtre, des sons me parvenaient de manière étouffée, *c'est la prière de Marie qui relève les pécheurs et arrache les nations infidèles à l'injuste empire de Satan*, et puis d'un seul coup je n'étais plus là mais sur un tapis roulant immense, sur lequel se précipitaient des singes, des singes géants venant à ma rencontre, et moi face à eux, démuni ; on me tendait un couteau et je poignardais le premier, ça avait quelque chose de sexuel, la lame rentrant dans les chairs, les poils, la sensation de la pénétration, je les transperçais comme un dingue, dès que l'un s'écroulait un autre apparaissait, de plus en plus vite, je courais à leur rencontre, à contresens de la marche du tapis, meurs, meurs, j'étais au bord de défaillir, c'était extraordinaire, je plongeais l'acier de toutes mes forces et un frisson de volupté me terrassait presque, puis j'ai ouvert les yeux et là, devant moi, sur la moquette barbouillée de traces brunes qui ressemblaient à du sang, Marianne et Flavien étaient étendus, sans vie, leurs pauvres petits corps labourés d'innombrables coups de couteau, du couteau que je tenais encore à la main, j'avais tué ma femme et mon fils.

Ma bouche était si sèche que je n'arrivais pas à parler, j'étais quasiment désincarné, on venait de m'enlever, de m'arracher à mon corps, ce n'est pas moi j'ai réussi à murmurer, c'est un sortilège, je n'ai pas pu commettre un acte pareil, et puis l'horreur de la chose m'a réellement pénétré et je me suis mis à hurler, tel un dément, aahhh, aahhh, aahhh, jusqu'à ce que je sente Marianne et que je reconnaisse sa voix, c'est bon, c'est bon, ça va aller maintenant, les démons sont sortis de toi, tu es sauvé.

J'ai entendu Flavien qui gazouillait dans la pièce à côté, j'avais fait un cauchemar, un mauvais rêve, Marianne était vivante et je ne l'avais pas tuée.

C'est le lendemain que les chiens firent leur apparition, d'horribles bestioles jaunâtres, le corps recouvert de pelades pisseuses, ressemblant à des hyènes, affublées d'une queue minuscule en tire-bouchon, ils arpentaient les avenues le nez au vent, dévorant les cadavres pourrissants, rongeant les os, déchiquetant les chairs mortes, on entendait leurs mâchoires claquer, après leur passage il ne restait plus rien, ils n'avaient pas l'air agressif, préoccupés uniquement de leur festin, se repaître des défunts, et ma foi ils avaient du pain sur la planche.

Si jusqu'à présent ce que nous avions connu ressemblait comme deux gouttes d'eau à l'idée que l'on pouvait se faire d'une catastrophe épouvantable il nous restait à découvrir l'enfer. Du jour au lendemain notre existence à Marianne, Flavien et moi bascula dans la misère la plus noire.

– Allô, j'avais crié en rentrant quelques jours plus tard, allô vous êtes là ?

La porte d'en bas était défoncée, dans l'appartement que j'avais réquisitionné pour me servir d'atelier les toiles et mon chevalet avaient été renversés et piétinés, allô j'ai hurlé plus fort, encore une fois me préparant au pire, Marianne tu m'entends ? Des gens étaient venus chez nous et avaient tout pillé.

– Putain, je vous en supplie, mais répondez !

Pour finir je les ai dénichés en haut de l'escalier, où ils avaient trouvé refuge, dans la cachette aménagée en prévision, à mi-étage avant les combles, à l'intérieur d'anciens W.-C. dont j'avais camouflé la porte.

Marianne était calme, digne, depuis sa révélation elle

avait changé, en bien il fallait en convenir, elle était moins chiante.

– Cette fois-ci ils ont tout pris...

Nos réserves de conserves et de victuailles diverses avaient filé, disparu, tous mes patients efforts pour nous maintenir à l'abri du besoin avaient été anéantis en un après-midi.

– Vous êtes indemnes, c'est le principal, j'ai soupiré, la nourriture on en trouvera toujours.

J'ai réparé comme j'ai pu les issues, bloquant l'escalier avec des poutres et des gravats, de manière à rendre une attaque impossible, il nous restait quatre boîtes de foie gras, deux litres d'Evian non périmés, une grande boîte de conserve de marmelade d'oranges, plus mon pistolet et quelques munitions.

– Je t'aime, a dit Marianne, je t'aime en Jésus-Christ.

Ça c'était le mauvais côté de son évolution, le côté un peu pénible. La révélation nous avait de toute manière tourneboulés, elle en avait été tout auréolée de sainteté et moi après cette affreuse vision des singes lacérés et de ma femme et de mon fils assassinés, j'étais dans mes petits souliers, il me suffisait d'évoquer même de manière fugace l'image de Flavien baignant dans son sang pour être rempli d'une terreur mortelle, mon Dieu, mon Dieu, mon arrogance s'était émoussée et je me surprenais à prier, mon Dieu faites que je sois capable de les protéger, de protéger la Nouvelle Vierge et Son Enfant, non pas que je prêtais le moindre crédit à ces sornettes mais la vérité c'est qu'on ne savait plus très bien à quoi se raccrocher, quoi croire et qui écouter, débordés comme nous l'étions par le défilé sans fin des coups durs, qu'elle soit vraiment la Nouvelle Vierge n'était somme toute pas plus sidérant que le reste.

Avant que l'on ait entamé la deuxième bouteille d'Evian, j'avais déjà mis sur pied un plan de combat, de l'eau il devait bien en rester quelque part, s'il n'y en avait plus en surface on devait encore en trouver sous terre, dans des grottes ou des puits, en peignant dans le métro j'avais remarqué un léger ruissellement le long d'une paroi, je me suis donc mis à l'ouvrage, ne jamais baisser les bras, tel était le credo, il était impossible de dire ce qui nous faisait tenir, alors que tout se délitait doucement et que, maintenant plus que jamais, donner le moindre sens à l'existence apparaissait comme la pire des vanités, malgré ça il y avait encore des Parisiens, affamés, certes, malades, au trente-sixième dessous, la population avait été décimée, réduite à une poignée, mais encore prêts à relever la tête, à garder un soupçon d'humanité au milieu du carnage, ce qui pour ma part forçait mon admiration, encore qu'il me semble que nous étions nombreux à penser que ceux qui étaient partis tout de suite n'étaient pas les plus malchanceux. La ville n'était plus que douleur, habitée de chiens errants et de fantômes, et moi j'étais toujours vaillant, fatigué certes, mais fidèle au poste, et ce qui me faisait tenir demeurait un mystère.

J'étais maintenant dépositaire d'une mission, protéger et servir le Renouveau, protéger et servir ceux qui demain seraient en mesure de l'incarner, car si Marianne représentait une sorte de Nouvelle Vierge, si l'on acceptait cette hypothèse, et Dieu sait que je ne cessais d'y penser, d'en soupeser toutes les implications, alors moi aussi j'étais l'instrument d'un destin illustre. J'avais beau me triturer la cervelle il m'était impossible de me remémorer entièrement mon passage dans les bras des morts, j'avais l'image du Diable, l'arrivée du Prince des Ténèbres, et après comme une scission, un dédoublement, que l'on m'avait projeté vers des mondes inconnus, puis plus rien, le noir total, j'avais pourtant la certitude que lors de cette nuit d'épouvante on m'avait assigné une tâche, un travail à mener à terme qui devait en toute logique n'être autre chose que la défense du petit et de sa mère.

Il y avait au bout de l'île de la Cité, derrière Notre-Dame, au pied du Mémorial dressé en souvenir des juifs déportés, dans le lit de la Seine déserté par le fleuve, une crevasse qui s'était ouverte sous l'effet peut-être de la sécheresse, peut-être d'une autre raison plus mystérieuse, et au fond de laquelle j'ai entrepris de m'aventurer, poussé par cette idée terrible que nous allions mourir de soif, la faim déjà était quelque chose, mais la soif avait une connotation supplémentaire abjecte, hideuse, j'étais certain qu'il y avait de l'eau en profondeur, il n'était pas possible que tout liquide ait disparu de la surface de la planète, et de toute façon il fallait qu'il se passe quelque chose, c'était ça ou la mort.

– Je t'aime, m'avait béni Marianne sur le seuil de ce qui avait été un appartement bourgeois de la capitale, je t'aime et j'ai confiance !

La crevasse était sans fond, du moins dans ce que l'on pouvait percevoir à l'œil nu, porte entrouverte sur le cœur palpitant des Enfers d'où, certainement, s'était échappé le Léviathan, même après ce que j'avais vu et subi depuis tous ces mois, en pénétrant dans l'obscurité, la peur m'a saisi, j'avais avec moi mes petites lampes gorgées d'huile de vidange, mon flingue, plus des linges et des bouteilles pour récupérer les liquides que j'espérais trouver.

J'avais aussi un marteau et des clous que je comptais planter le long des parois pour retrouver mon chemin. La lumière provenant de l'ouverture derrière moi s'est raréfiée, j'étais seul, apeuré, des chauves-souris m'ont frôlé, voyage au centre de la terre, l'espèce de chemin cahoteux s'enfonçait en pente douce, je me suis concentré sur les ombres projetées par la flamme de ma petite lampe, je pouvais très bien ne pas trouver d'eau, me perdre et mourir dans les profondeurs de la planète, à des centaines de mètres sous Notre-Dame, à part pour Marianne et Flavien, franchement, cela n'aurait aucune importance.

Le chemin s'est transformé en une sorte de couloir, à chaque tournant je plantais mon clou, auquel j'accrochais un bout d'aluminium, gage certain d'un retour réussi, j'ai encore marché un petit moment, traversant des salles immenses, des grottes, certaines tapissées de squelettes, d'autres avec des dessins, des dessins fabuleux comme je n'aurais jamais rêvé en voir, la terre m'avait ménagé une voie d'accès, un passage, et me montrait des merveilles, j'ai quand même continué sans m'arrêter, j'avais laissé la bouteille d'Evian à Marianne, je commençais à avoir soif et maintenant devait apparaître un signe, quelque chose m'encourageant, m'indiquant que je ne faisais pas fausse route et que ma quête n'était pas vaine. J'avais récupéré une montre mécanique au poignet d'un mort, il était quinze heures, j'étais parti depuis huit heures du matin.

Si nous sommes bien ce que nous croyons être alors montre-toi, j'ai imploré. Montre-toi et file-moi à boire, par pitié, et là, à peine avais-je fini ma phrase, qu'on le croie ou pas c'est pourtant la pure vérité, j'ai entendu un bruit de ruissellement, un ruissellement d'eau, à n'en pas douter, j'ai tendu la main et la paroi sur ma droite était humide et des gouttes affleuraient sous les anfractuosités. J'étais sauvé.

J'étais sauvé et plus encore, il y avait dans cette apparition la preuve éclatante, miraculeuse, que oui, sans l'ombre d'une hésitation, nous étions, Marianne et moi, des Elus, et que notre fils, ou plutôt l'être que nous avions pour charge d'accueillir était bel et bien le Béni, le Choisi des temps à venir et que Dieu, là-haut, non seulement nous épaulait mais ferait tout pour m'aider à surmonter les épreuves. Merci, j'ai redit, merci, et ne vous inquiétez pas, j'essayerai d'être à la hauteur.

Reconnaissons-le, il ne s'agissait pas d'un torrent, ni même d'une source, on sentait de l'humidité, un léger filet qui coulait en se répandant le long des roches, mais rien de vraiment fracassant, j'ai disposé mes récipients aux endroits stratégiques et mes linges tout au long, floc a fait la première goutte, floc, à ce rythme j'en avais pour des heures, j'ai donc éteint ma lampe et je me suis allongé dans le noir, de manière à pouvoir laper comme un assoiffé que j'étais le précieux liquide, j'avais beau être dans une obscurité totale des milliers d'images colorées dansaient devant mes yeux. Je me revoyais enfant, en famille, à la plage, l'insouciance du monde et l'illusoire douceur de vivre, les achats chez les commerçants, un pain aux raisins, le visage de mes institutrices me revenait aussi distinctement que si je les avais quittées la veille, j'étais glissé douillettement sous ma couette et l'on m'apportait un chocolat, Seigneur un chocolat, j'avais chaud, j'étais bien, et puis doucement ces visions agréables se sont transformées en tableaux de plus en plus étranges, des diables, des chauves-souris gigantesques volaient autour de moi, je courais dans un bois à côté d'un cerf, celui-là même que j'avais croisé aux Buttes-Chaumont, mais était-ce un rêve ou l'avais-je réellement vu, le cerf avait cette croix plantée entre ses bois, une croix d'or et j'étais un roi au crépuscule de sa vie, mourant seul et abandonné dans une forêt du Val-de-Loire, l'on me tendait un marteau et des clous, mon marteau et mes clous, et devant moi se tenait, ma bouche s'arrondissait de stupeur, le Christ, j'avais été un des soldats romains qui avaient cloué le Messie sur la croix, ses mains recroquevillées se tachaient de sang quand la pointe s'enfonçait dans ses chairs, le métal avait dû rencontrer un os parce que j'étais obligé de m'y reprendre à deux fois, de taper comme une brute, on voyait des traces de lumière dans le ciel, j'étais léger comme une plume d'oiseau et je volais vers le soleil, Icare s'arrachant à l'attraction terrestre, doucement me disait ma mère, ne va pas trop vite, tu me fais peur.

Les vertiges de l'obscurité ont fini par se dissiper, j'ai rallumé mon brasero, les récipients étaient presque pleins et les linges suffisamment détrempés pour que mon voyage n'ait pas été inutile, j'ai rebroussé chemin, tâtant mes repères à chaque intersection douteuse.

Le Christ, un marteau, et des pointes grossièrement forgées, éclatant les chairs qui suintaient d'un sang rouge et écœurant.

Le craquement des articulations.

La sueur dégoulinait sur l'arrière de mon casque mal ajusté et j'entendais les cris d'un centurion et des autres soldats.

Tu es le roi des juifs, ha, ha, ha.

Ma montre marquait dix-neuf heures, il faisait nuit, j'ai camouflé ma récolte dans le sac à dos et je suis rentré vers les Buttes-Chaumont, mon flingue à la main, prêt à chaque instant à essuyer une attaque, mais encore une fois rien de fâcheux ne m'est arrivé, à l'appartement Marianne m'attendait, chantonnant à Flavien des cantiques, calmement, sereinement, sans le moindre doute sur l'issue possible de ma sortie, voilà de l'eau j'ai dit, elle l'a prise, en a rempli le biberon et a fait boire l'Enfant-Elu, de la façon la plus naturelle qui soit, au-dehors la ville avait soif et se mourait.

Nous avons mangé le foie gras avec la marmelade, succulent festin, Flavien s'est endormi après son rot, j'ai raconté à Marianne mes visions, mon passé fâcheux de mercenaire au marteau, et, loin de l'inquiéter, cette prise de conscience de mes méfaits antérieurs l'a confortée dans son approche de notre nouvelle existence, une vie dévouée à Dieu et à son Enfant.

– Si tu as réellement été un des bourreaux de celui que l'on appelait Jésus-Christ alors sache que ton acte est marqué dans le grand livre des faits illustres, car comment notre Seigneur aurait-il pu accomplir pleinement son destin sans l'aide des méchants et des traîtres. Le nom de Judas est sanctifié au plus haut des cieux et le tien l'accompagne forcément.

Le lendemain j'ai croisé dans la rue plusieurs personnes défigurées, le visage ravagé par d'horribles boursouflures rouges d'où suppurait un liquide jaunâtre, d'après ce qui s'en disait les gens touchés étaient transformés en monstres pendant la nuit, l'aspect des lésions aurait donné des cauchemars à n'importe qui, je ne me suis pas attardé et j'ai filé vers Notre-Dame et ma source souterraine.

La journée et les suivantes se sont passées de la même façon que la précédente, je gagnais l'endroit humide et pendant que les bouteilles se remplissaient je me sentais sombrer dans une torpeur hallucinée, flottant dans une dimension étrange, située entre le rêve et un autre état, presque éveillé mais comme si je n'étais plus exactement incarné, comme si les barrières des distances et de la matière s'abolissaient soudainement, j'avais des flashs et des impressions semblables à ma nuit avec les morts, mais à la fin, lorsque je reprenais mes esprits, il ne m'en restait qu'une sensation fugace, des choses s'inscrivaient et resurgissaient dans une partie de moi-même sans malgré tout éclater au grand jour, j'avais juste le temps de rentrer et de chasser quelques rats. Les lésions dont maintenant beaucoup souffraient étaient paraît-il le résultat conjugué d'une nourriture empoisonnée et de la luminosité, tout ce qui n'avait pas péri autour de nous était contaminé, sauf les rats, du moins c'est ce que l'on disait, les rats avaient développé des anticorps pour l'ensemble des saloperies qui traînaient et en en mangeant on ne risquait rien, si ces mots avaient encore un sens, ne t'inquiète pas j'avais précisé à Marianne en découpant les carcasses, on ne risque rien, rien du tout, et puis de toute façon c'est un peu comme des lapins. Il fallait aussi se protéger de la lumière, les gens sortaient dans la rue avec des masques de cuir ou de chiffons, à la fois pour se préserver mais aussi, dans le cas des cancéreux, pour cacher leurs visages boursouflés, seuls les gens à peau mate n'étaient pas touchés, et il y en avait pour dire que Dieu avait abandonné la race blanche, l'avait maudite, et que nous allions tous y passer.

Je dois reconnaître que de croiser toutes ces silhouettes aux visages enrubannés dans leurs protections bricolées à la hâte avec de vieux vêtements ou des cartons était la touche finale qui manquait, pour ma part je m'étais contenté d'une cagoule découpée dans un drap, amis du Ku Klux Klan bonjour, si l'on faisait l'effort d'imaginer ce qu'il y avait aux mêmes places, dans ces rues, un an avant, douze mois, une petite année, il y avait de quoi être pris de vertige, d'incrédulité, se prendre la tête dans les mains ou se rouler par terre, et c'est d'ailleurs ce que faisaient bon nombre d'entre nous, perdant soudainement la boule, refusant d'avancer plus avant, un homme jeune, environ du même âge que moi, s'est fracassé le crâne contre un mur, en s'y reprenant à plusieurs fois, et en hurlant, jusqu'à ce qu'il ne soit plus qu'une forme agitée de soubresauts, agonisante, et surmontée d'une masse rougeâtre et chevelue. Le soir en rentrant de ma collecte de boissons j'allais faire affaire avec un vieux à qui il restait des conserves, il devait avoir accès à un stock parce que tous les soirs j'échangeais liquide contre comestible et la manne n'avait pas l'air de vouloir se tarir, signe là encore sans l'ombre d'une hésitation que des forces invisibles étaient à l'œuvre pour nous faciliter l'affaire, m'épauler dans la tâche qui m'était dévolue.

Des protections occultes.

Et une mission.

Quelque chose de vraiment fort, protéger et servir rien de moins que le peut-être nouveau Messie.

J'avais un immense coup de mou, une fatigue et un

découragement qui me prenaient, l'envie moi aussi de me balancer, d'abandonner tout le monde, salut les copains et bon vent, allez tous vous faire enculer et rendez-moi ma petite vie, les escroqueries, les lumières des cafés et le bruit du métro, j'avais une nostalgie terrible en pensant que tout ça n'existerait plus jamais, qu'on était arrivés, quoi que nous espérions encore, à un tournant, « **autour du trône je vis vingt-quatre trônes, et sur ces trônes vingt-quatre vieillards assis, revêtus de vêtements blancs, et sur leurs têtes des couronnes d'or** », oui, manifestement les Temps prédits étaient sur le point de se réaliser et ce n'est pas demain la veille qu'on allait pouvoir se refaire une partie de flipper.

Par le vieux aux boîtes de conserves j'avais eu l'information qu'il se préparait une distribution de médicaments à La Défense, apparemment une organisation existait encore, des gens retranchés on ne sait où se préoccupaient du sort de leurs semblables, des chimistes auraient mis au point un remède contre cette lèpre cancéreuse qui faisait des ravages, ceux qui n'étaient pas encore malades étaient invités à en prendre de manière préventive et ceux qui l'étaient déjà pouvaient recevoir de quoi soulager au moins momentanément leurs souffrances. Comme Flavien avait depuis quelques jours des boutons sur le visage, Marianne, angoissée, m'avait instamment prié d'y aller.

La Défense était pour moi un quartier lointain, même lorsque la ville existait encore je n'y mettais jamais les pieds, des tours et des courants d'air et un centre commercial tellement bourré de vigiles que même un vol bénin apparaissait problématique, j'ai récupéré un vélo et j'ai pédalé vers l'Etoile, je voulais profiter de ce break dans ma routine souterraine pour aller jeter un œil à ma fresque, que je n'avais pas revue depuis ma nuit diabolique, ma fresque, trace tangible de mon passage sur cette terre et de la vision grandiose qui m'avait été donnée, j'avais bien sûr mon flingue dans son étui, qui me battait les flancs, cavalier solitaire où cours-tu sur ta jolie bicyclette, les pavés et le macadam étaient tout défoncés par les intempéries et les cinq mois d'inondations et des détritus divers s'entassaient partout, mon V.T.T. avait fort à faire pour me mener à bon port, par contre les chiens, leur travail achevé, avaient disparu, il ne restait aujourd'hui pas l'ombre d'une trace d'un cadavre, et je me suis dit que dans le fond leur présence était peut-être une indication comme quoi la marche du monde était encore sous contrôle, qu'après le chaos viendrait la paix, et que Flavien, notre Elu, en serait bien sûr l'instrument. Sous l'Arc de Triomphe l'œuvre était toujours là, nul graffiti n'était venu la défigurer, c'était au moins l'avantage de ces temps troublés, ils avaient éradiqué les taggeurs. Elle n'était certes pas totalement achevée, il n'empêche que c'était splendide, de quoi faire honneur à notre époque, une trace magnifique à destination des civilisations futures, j'ai imaginé les explorateurs, des siècles et des siècles après que j'aurais depuis longtemps disparu, découvrant émerveillés ce témoignage extraordinaire d'une ère oubliée, comme nous avec les Egyptiens ou les peintures préhistoriques.

Je suis descendu en roue libre jusqu'au pont de Neuilly, du souterrain menant auparavant à La Boule une forme a surgi, un pur-sang lancé au triple galop, blanc, j'irai comme un cheval fou, ce qui était déjà incongru et surprenant, je n'avais jamais vu de cheval depuis un bon moment, mais le plus incroyable c'est que quand il est passé à côté de moi j'ai distinctement vu une corne fichée au milieu de son front, entre ses deux oreilles, une licorne, putain une licorne, et c'était comme si le soleil, la quiétude et toute une douceur de vivre revenaient d'un seul coup, putain j'ai croisé une licorne, une vraie licorne, je ne sais pas pourquoi mais cette apparition m'a provoqué un apaisement et une joie incroyables, comme si maintenant je pouvais mourir le cœur tranquille, une licorne, merde, les gens à en avoir vu devaient se compter sur les doigts de la main.

Je n'ai pas eu le temps de m'attarder sur ce nouveau prodige car une troupe de gueux s'est manifestée derrière moi et m'a demandé où était la distribution et si j'étais au jus de ce qui se tramait ici, si c'était vraiment l'armée qui faisait une expérience ou autre chose, plusieurs devaient être déjà sacrément atteints parce que malgré les masques on devinait des visages ravagés par la maladie, non j'ai répondu, en me tenant à distance, j'en sais rien, je suis comme vous, j'arrive et je cherche l'endroit. On est montés tous ensemble jusqu'à l'esplanade, par le boulevard circulaire qui sans voitures ressemblait à un circuit de billes géant, avec nous dedans, petites fourmis perdues dans cette forêt de buildings intacts qui donnaient l'impression curieuse que rien n'avait eu lieu, que les choses étaient encore comme avant et que de toute façon du haut de leurs tours invincibles les businessmen, les assureurs et les pétroliers enculaient tout le monde, Dieu, le sort, et tous les chaos et désastres pouvant survenir, personne n'abattra jamais nos valeureux monuments de verre et d'acier.

Sur le parvis face à ce qui avait été les Quatre Temps, une sorte de tente, kaki, effectivement une tente militaire était dressée, des hommes en armes en contrôlaient l'accès, on vient pour les médicaments a fait l'un d'entre nous et un gros mal embouché a grogné les malades à droite et ceux qui sont encore normaux par ici, comme nous étions tous masqués il y a eu un temps d'hésitation, j'ai pris la file des normaux mais les autres sont restés en attente, sans trop savoir quoi faire, pourquoi on nous sépare a demandé un des gueux, puisque de toute façon on n'est pas contagieux ?, mais le bouledogue l'a coupé, c'est bon, les malades à droite, c'est pour des raisons médicales, un seul est venu me rejoindre, les autres se sont rangés derrière les barrières disposées en épi, se retrouver là après tous ces mois, face à un adjudant revêche en treillis, visiblement pas plus incommodé que ça par cette apocalypse qui pourtant nous concernait tous, il y avait de quoi en être comme deux ronds de flan, qui étaient ces gens, comment s'étaient-ils organisés et quel était leur projet, bien malin qui aurait pu le dire.

– Avance, m'a intimé l'adjudant, et enlève tes chiffons, le médecin a besoin de te voir.

A l'intérieur de la tente j'ai dû me déshabiller, un gradé était derrière une table et ce que j'ai supposé être un infirmier m'a palpé, pendant qu'on me posait des questions, moyens de subsistance, situation actuelle, réaction psychologique aux événements, à la fin le médecin a dit vous arrivez à vous débrouiller, bravo, vous tenez bien le choc, ce n'est pas le cas de tout le monde et j'ai eu droit à une ration de médicaments, pour moi, Marianne et Flavien, avec ça a conclu le toubib vous devriez être à l'abri des mauvaises surprises, en me rhabillant j'ai quand même demandé mais vous sortez d'où, il y a encore une armée qui fonctionne ? mais sans obtenir d'autre réponse qu'un rire de l'adjudant, vous les civils vous avez toujours tendance à nous sous-estimer, ha, ha, j'avais le traitement pour un mois et un rendez-vous pour une prochaine distribution, un rendez-vous marqué sur un papier, en redescendant le boulevard circulaire je me suis demandé si je n'avais pas été victime d'une hallucination.

C'est à ce moment que j'ai vu le type, il courait le long du lit asséché de la Seine, il courait et ce n'était pas motivé par une fuite éperdue devant un loup-garou quelconque, non, il faisait tout simplement du jogging, en short rouge, avec un bandeau dans les cheveux, et deux petits haltères en plastique transparent remplis d'eau à chaque main, un pro, s'entraînant pour un éventuel marathon, entre Pont de Neuilly et Pont de Suresnes, l'air de rien et allongeant tranquillement sa foulée.

– Ho, j'ai crié, oho !

Et je suis descendu de vélo pour le stopper, je commençais à en avoir ma claque de tous ces mystères, si réellement ici il y avait une vie normale, une armée, des sportifs, et pourquoi pas peut-être des fax en train de crépiter dans le centre d'affaires j'étais tout à fait d'accord pour qu'on me mette au courant.

– Oho, j'ai bondi, tel le cow-boy sur la crinière du mustang galopant, oho, oho !

Le type s'est arrêté, vaguement essoufflé par son effort, quand nos regards se sont croisés j'ai eu la désagréable certitude de l'avoir déjà rencontré, que nous n'étions pas l'un pour l'autre des inconnus, j'ai dit bonjour, excusez-moi de vous importuner mais je suis un peu désemparé, avez-vous des renseignements sur cette distribution de médicaments organisée par des militaires, je n'y comprends rien, il avait un visage un peu marqué, un Indien pratiquant le cross-country dans un site urbain où affleurait la fantasmagorie. Il a épongé d'un revers de main les gouttes de sueur qui lui coulaient dans les yeux, il avait des protège-poignets couleur crème avec une marque imprimée dessus.

– Des médicaments contre le mal solaire qui provoque des cancers de la peau ?

J'ai noté qu'il ne portait aucune protection, pas de masque ni de chiffons.

– Oui, ils font une distribution.

Il a ouvert un de ses haltères gourdes, j'avais l'impression d'être Frodon rencontrant Tom Bombadil au début de la quête de l'Anneau, torturé par un problème immense dont mon interlocuteur paraissait totalement détaché.

– C'est un risque, il a fait en buvant, c'est une maladie inédite, dans un contexte inédit, et on n'a aucun recul sur les traitements mis au point, il ne faudrait pas que le remède soit pire que le mal.

Une angoisse pernicieuse m'envahissait, comment ça j'ai balbutié, mais vous les connaissez ? je savais où je l'avais déjà vu, la fois au parc où j'avais croisé le cerf à la croix d'or, il y avait quelqu'un sur une pelouse à la limite de mon champ de vision auquel je n'avais pas prêté attention, c'était lui, j'en étais sûr et certain.

– A votre place je resterais circonspect, circonspect et prudent.

Et il est reparti, sans que j'aie amorcé la moindre velléité de l'arrêter, j'ai juste encore voulu savoir si lui n'avait pas peur de la lumière, et il s'est retourné et à l'air qu'il a pris je me suis senti idiot, non bien sûr, il n'avait pas peur de la lumière, demande-t-on au démon s'il craint les fantômes, votre question n'est pas raisonnable, ha, ha.

De retour à l'appartement, encore tout tourneboulé par ma rencontre, je me suis aperçu que j'avais paumé le sac avec les pilules.

En fait ce que je vivais était une sorte de montagne russe, un jeu, avec d'improbables hauts et des bas de plus en plus bas, de plus en plus étranges et déroutants, tout notre environnement physique mais aussi mental s'était totalement liquéfié et la meilleure solution était encore de prendre ça pour un amusement, un de ces trucs de société pour jouer entre amis les jours d'ennui, tu rencontres le mage Birlitu dans la Forêt-Noire et il ne te reste que dix points de Force Vie et quatre Etoiles de Pouvoir Suprême, que décides-tu petit coquin ? Je suis désolé, j'ai annoncé à Marianne, mais j'ai perdu les médocs.

Débrancher intérieurement de ce bordel et agir comme face à un écran vidéo après avoir fumé un joint. Eh bien je crois que je vais quand même affronter le mage Birlitu.

– T'as perdu les médicaments ?

J'utilise trois points Force Vie et une Etoile de Pouvoir Suprême.

– Dieu t'a permis d'aller jusque là-bas, d'en revenir sain et sauf, et tu as perdu ce qui pouvait nous sauver, ce qui pouvait sauver Flavien ?

Pan, mage Birlitu, prenez-vous celle-là dans les dents.

Prenez-vous de plein fouet mon Etoile de Pouvoir Suprême et dites-m'en des nouvelles.

– J'ai fait ce que j'ai pu Marianne, je suis allé à La Défense en vélo, j'ai passé une visite médicale, je me suis fait interroger par les militaires et j'ai rencontré une apparition faisant du jogging, c'est bon, j'ai pas fait exprès de perdre les médicaments.

Et comme le ton était parti pour monter, je n'avais pas assuré vis-à-vis du Messie, vis-à-vis de la confiance que l'on me portait là-haut, et que de toute manière discuter n'était pas possible je suis reparti à toute blinde, dans l'espoir, soit de remettre la main sur mon petit sac, je l'avais peut-être perdu au moment de ma discussion avec le joggeur, soit de tenter un bis auprès des militaires.

Avec un tel entraînement j'allais bientôt être prêt pour les championnats de cyclo-cross.

Si je me speedais à mort je pouvais faire l'aller-retour avant la nuit, c'était jouable, en une seconde j'étais de nouveau sur le Circulaire, j'avais jeté un rapide coup d'œil en chemin mais bien sûr que nenni, pas de remèdes, et j'étais prêt à plaider ma cause aux militaires, s'ils en avaient donné le matin je ne vois pas pourquoi ils ne recommenceraient pas le soir, mais à ma grande surprise l'esplanade était vide, déserte, ni tente ni d'ailleurs la moindre trace d'une présence quelconque, que le vent hululant entre les bâtiments, à vous donner la chair de poule, j'ai fait le tour du parvis en vélo, de près les tours apparaissaient complètement dévastées, si j'avais pu entretenir des illusions sur leur invincibilité un examen rapproché était éloquent, la laine de verre en charpie dépassait des plaques réfléchissantes brisées et les bouts de faux marbre étaient sur le point de se désagréger complètement, honnêtement Notre-Dame tenait beaucoup mieux le coup.

– Héhohé, j'ai crié dans le hall de l'ex-tour Total, hohéhé, il y a quelqu'un ?

Et là j'ai eu le choc de ma vie, pire que la nuit dans le magasin de musique, pire que tout ce que j'avais vu depuis six mois, les prêtres fous, le délire et les monstres, une voix m'a appelé d'un bureau, c'est toi le père ?, une voix que je connaissais par cœur, la voix de mon cousin mort du sida voilà presque dix ans, avance il a redit, n'aie pas peur je vais pas te manger, réellement je crois que mes cheveux s'en sont dressés sur ma tête.

– Jacques, j'ai bredouillé, Jacques tu es vivant ?

J'avais assisté à la crémation, c'est moi qui étais témoin au moment de la mise en bière et de l'introduction dans le four.

– Assieds-toi, détends-toi, c'est bon, flippe pas, personne ne te veut du mal.

Il était exactement comme le dernier jour où je l'avais vu, maigre, avec des plaques sur la figure et un début de tonsure dû à une pelade, malade sur son lit d'hôpital.

– Je suis là pour te prévenir, le père, il a fait le plus normalement du monde, sans être dans le secret des dieux je suis au parfum de ce qui se prépare, on risque de s'autoriser un petit festival sur la ville, ce serait mieux que t'aies bougé avant.

J'étais pétrifié, vidé de toute réaction.

– On va faire une razzia, le père, les morts vont venir chercher ceux qui restent, tu percutes ou pas ?

Je n'arrivais même pas à hocher la tête.

– Je t'aurai prévenu, le père, il a encore émis en se

levant, bouge, bouge de Paris, c'est ce que tu as de mieux à faire.

Un peu après j'étais sur mon vélo, atone complètement, encéphalogramme plat, roulant désincarné vers la suite des événements, je venais de discuter avec un mort en chair et en os, ma raison était sur le point de vaciller.

– Alors, m'a fusillé Marianne, tu les as ?

Une tache suspecte était apparue sur le front du Béni et on craignait évidemment le pire, j'avais riposté immédiatement, chaud bouillant sur les médocs, c'est un essai expérimental, c'est une sorte d'acide surpuissant, ils veulent voir comment les gens réagissent, d'après mes sources, c'est défense absolue d'en prendre sous peine de choses très graves, on est vraiment protégés, c'est pour ça que je les ai perdus. Elle en est restée coite, tu es sûr, tu es certain ?, et j'ai enfoncé le clou, deuxième information confidentielle les morts vont débarquer d'un jour à l'autre, on va devoir s'arracher dare-dare, j'ai eu des tuyaux concernant l'au-delà ça craint velu, tu ferais mieux de nous préparer de quoi être en mesure de bouger vite fait, et je lui ai raconté en détail mon entrevue avec Jacques.

Le lendemain des cris de folie nous réveillaient, il y avait des gens dans la rue en train de se lacérer le visage, de se rouler par terre, aux prises avec d'invisibles fantômes, tous avaient pris des médicaments la veille et paraissaient sous l'effet effectivement d'une drogue hallucinogène violente, tu vois j'ai fait, je pense pas que c'était la peine de te mettre dans tous tes états.

J'avais eu un flash de voyance, c'était évident, un pur flash de voyance, j'étais médium, je suis médium j'ai clamé, Dieu est en train de me révéler des pouvoirs, tout ce que j'ai annoncé hier se réalise aujourd'hui, et je voyais l'image de mon cousin souriant et m'exhortant au départ, dégage le père, dégage pendant qu'il en est encore temps !

Cette nuit-là j'ai dit adieu à mon atelier et à mes toiles, Marianne tenait Flavien enveloppé dans une couverture, on entendait montant de Belleville la rumeur sourde des possédés, la voix de mon cousin semblait me chuchoter à l'oreille des indications, à droite, à gauche, évite le carrefour, un vent de terreur se faufilait entre les immeubles, glissait le long des avenues, les gens qui ont pris des médicaments font office de récepteurs, c'est pour ça qu'on leur en a donné, c'est eux qui vont nous permettre le mélange des deux mondes, les visions qui me traversaient l'esprit étaient de plus en plus effroyables et soudain je me suis rappelé ce qui s'était passé dans le magasin de disques, je n'avais pas rêvé, quelqu'un était bien venu pour me rencontrer, pour me prendre et me projeter ailleurs, dans une dimension noire et remplie des épouvantes les plus inimaginables, et au dernier moment il s'était passé quelque chose qui avait empêché ça, qui m'avait sauvé, le Diable avait dû reculer, et ce soir il était de retour et demandait son dû, je me suis mis à courir, dépêche-toi j'ai poussé Marianne, par pitié, dépêche-toi ça craint, je voulais gagner le souterrain sous Notre-Dame et puis essayer de progresser le plus possible vers le sud, il y avait plein de galeries que je n'avais pas explorées, mais devant l'Hôtel de Ville et même si la nuit était si totale qu'on n'y distinguait quasiment rien nous nous sommes retrouvés en présence d'une entité, d'une force, en tout cas quelque chose d'où émanait une énergie nauséeuse, un scintillement de chair pourrissante, et à cet instant je me suis senti traversé par un hoquet fulgurant et j'ai perdu conscience.

Livre deux

Nous n'allons pas au ciel

*Un homme qui dort
tient en cercle autour de
lui le fil des heures, l'ordre
des années et des mondes.*

Marcel PROUST, *Du côté de chez Swann*

Quand j'ai ouvert les yeux il faisait toujours noir. Marianne était penchée sur moi, le sol autour paraissait froid, humide et meuble, comme de la glaise, et immédiatement je me suis rendu compte que nous n'étions plus à Paris.

– Balthazar, se convulsait Marianne, Balthazar, ça va ?

Elle avait Flavien dans son Kangourou, j'ai demandé où est-on, que s'est-il passé, qu'est-ce qu'on fait là, que s'est-il passé ?, depuis le début c'est quelque chose qu'on avait bien dû répéter des milliers de fois, que s'est-il passé, que se passe-t-il, comme des abrutis obtus, incapables de la moindre étincelle et ne pigeant pas du tout de quoi il était question, la terre était grasse, de l'argile après la pluie, on a été transportés m'a annoncé Marianne, une force est venue et nous a emportés, j'avais une sensation d'engourdissement, mes réflexes étaient annihilés comme sous l'effet d'un calmant, emportés, mais emportés par quoi, par les Phénix ?, devant nous se dressaient des flèches métalliques dont les reflets brillaient avec le clair de lune. C'est là que j'ai réalisé qu'on voyait le ciel, les étoiles, qu'il n'y avait plus de nuages.

– Emportés par une force qui nous a enveloppés et protégés, au moment où l'horreur allait nous avaler tu as perdu conscience et on s'est retrouvés là.

Emportés par une force qui nous a enveloppés et protégés.

J'ai essayé de me relever, j'étais pris de vertige. J'avais l'impression qu'on m'avait drogué, assommé à coups de somnifères. J'ai réussi à m'asseoir, l'étendue qui serpentait tel un ruban noir de part et d'autre de notre champ de vision n'était autre qu'une autoroute, l'autoroute de Bordeaux, et quant aux flèches métalliques ce n'était ni plus ni moins que la sculpture affreuse qui ornait le bas-côté de nos défunts départs en vacances, sculpture que j'avais toujours trouvée épouvantable mais qui m'a dans ce moment présent réchauffé le cœur, on voyait des panneaux **RETOUR DE WEEK-END VERS PARIS/ÉVITEZ LES HEURES DE POINTE**, j'ai dégringolé le talus jusqu'au macadam et on est partis vers le sud, à pied, moi titubant et Marianne avec Flavien en bandoulière, marchons j'avais proposé, marchons devant nous, si on nous a téléportés de cent kilomètres c'est bien qu'il y a une raison, marchons, ça va se décanter, c'est forcé.

Je me sentais bizarre et cotonneux.

Le Messie.

La Nouvelle Vierge.

Et leur chevalier servant.

Info-Route 87. 9.

PNEU DÉGONFLÉ ÉGALE DANGER.

AIRE DE STATIONNEMENT 3 KM.

Et aussi le prix des carburants, Mobil était moins cher qu'Esso.

C'était curieux de marcher, d'avancer dans la nuit, dans un monde englouti, ou en voie de l'être, sans raison, ou en tout cas sans but, avec sa femme et un bébé, son bébé, une vie dont la venue avait été longuement débattue et argumentée, il me semblait que j'étais en train de rentrer dans les profondeurs d'une chose auparavant insondable, j'étais cassé, flapi, quasiment comateux, mettre un pas devant l'autre, marcher comme un zombie me coûtait un effort insurmontable, Marianne à côté fredonnait un cantique. *Qu'éclate dans le ciel la joie des anges, qu'éclate partout la joie du monde*, et j'ai eu envie de la tuer.

CHARTRES PAR R. N.
CLERMONT-FERRAND SUIVRE BORDEAUX.

Une substance sale et marron, une couleur de tourbe et d'excrément, s'était infiltrée en moi, ou en jaillissait, une pâte infecte me recouvrait, chaque parcelle, chaque atome de mon corps était aspiré, mélangé, souillé, un goût de métal rouillé m'asséchait le fond de la gorge et quand je fermais les yeux une immense croix se dessinait derrière nous, une empreinte inéluctable, pesant sur chacun de mes gestes, la terre prenait possession de moi et allait m'engloutir. *Ô Père accueille la flamme qui vers toi s'élève en offrande, feu de nos cœurs*, j'ai failli lui dire de la fermer, que je n'en pouvais plus, et cette fois c'était vrai, j'étais à bout, tais-toi, arrête de chanter, par pitié, marche mais en silence, Flavien s'est mis à pleurer et elle a redoublé d'efforts, s'époumonant, garde tes forces j'ai soufflé, arrête de chanter et garde tes forces, de ma vie je n'avais jamais été aussi fatigué, achevé, j'ai pris conscience de la couche de suie et des strates de parasites abjects sous lesquelles mon être secret, ce que j'aurais pu devenir, était enfoui depuis des temps immémoriaux, et j'ai supplié intérieurement le ciel d'abréger mon tourment et les leurs aussi, de nous tuer sur place, que je déclarais forfait, que ce qui était mon but, la destination que j'avais cru à ma portée était par trop inaccessible et que je préférais renoncer.

– Voilà un camion, a crié Marianne, regarde, voilà un camion !

Semblable à deux gros yeux lumineux fonçant vers on ne sait quel final maléfique un énorme semi-remorque venait d'apparaître à l'horizon, avant que j'aie eu le temps de l'en empêcher ou de la tirer en arrière

Marianne s'était précipitée, arrêtez, arrêtez-vous, en dansant, en s'agitant comme une folle au milieu des voies, la pute j'ai pensé, la sale conne, le monstre a freiné dans un hurlement épouvantable, un black en treillis s'est éjecté de la cabine, une mitraillette en bandoulière, dans la téléportation j'avais dû perdre mon flingue car le holster était vide, qui que vous soyez s'est précipitée Marianne, qui que vous soyez au nom du ciel aidez-nous, ce qui a fait rigoler le black, qui que vous soyez c'est ce qu'avait crié le vieux à Saint-Cloud, la nuit de mon attaque de la résidence, je vous en prie a agrippé Marianne, emmenez-nous avec vous.

Inutile de dire qu'ils ne se sont pas fait prier, on m'a poussé vers l'arrière, Marianne m'a tendu Flavien, la remorque était plongée dans le noir, j'ai senti des gens, quelqu'un qui disait attention il n'y a plus de place, j'ai entendu le hurlement de Marianne quand les portes se sont refermées et Flavien s'est mis à couiner, j'étais fatigué, amoindri, le camion a démarré et dans le cahot je me suis cogné violemment contre un montant métallique, j'ai perdu l'équilibre et je suis tombé les quatre fers en l'air sur d'autres corps, qui ont glapi encore une fois, attention, c'est plein, Flavien redoublait de volume, j'ai fini par m'asseoir dans un coin, le nourrisson sur mes genoux, plein de pipi et de caca, hurlant après sa mère dont je n'osais même pas imaginer le sort, j'avais plus que jamais l'impression d'évoluer dans un mauvais rêve.

Un cauchemar sale et malodorant.

De temps en temps on entendait pouët, pouët, comme si quelqu'un s'amusait avec le klaxon.

Les gens enfermés dans ce camion avaient été capturés comme esclaves, c'est ce que j'ai fini par comprendre au bout d'un moment, pour servir je ne sais quels brigands cantonnés dans un château vers la vallée de la Loire, certains paraissaient en être satisfaits, tablant sur le fait qu'il valait mieux être captif nourri que libre affamé, au fil des heures le camion s'est mis à rouler de plus en plus doucement, la nuit avait fait place au jour, quelques rayons de lumière s'infiltraient par des interstices de la carrosserie, l'odeur était épouvantable, plusieurs personnes avaient été obligées de faire leurs besoins dans un coin, d'autres avaient vomi, nous étions serrés jusqu'à l'asphyxie, des cadavres puants partant vers la solution finale, par instants j'imaginais Marianne et je me surprenais à l'envier, quoi qu'elle subisse, au moins n'était-elle pas au milieu de cette horreur, le camion devait avancer à la vitesse d'un escargot, soit que la route était trop défoncée, soit pour une autre raison, Flavien s'était endormi et un peu plus tard une personne est morte étouffée, dans un hoquet, un râle et puis une autre encore peu après, sans que personne réagisse, de toute façon qu'aurions-nous pu faire, mais le pire a été atteint quand un homme d'une quarantaine d'années, gros et costaud, s'est trouvé saisi d'une crise de démence, a commencé à vociférer qu'il en avait marre, qu'il voulait parler au chef, chef, monsieur, s'il vous plaît, en donnant des coups autour de lui, Dieu merci je n'étais pas à sa portée, il a attrapé un de ses voisins par les cheveux et, stupeur, lui a arraché un œil, d'un seul coup ses ongles se sont plantés dans le visage du malheureux, qui suffoquait de douleur, et le pire c'est que l'œil restait attaché par des nerfs que le sauvage a tranchés, avant de déchiqueter la boule sanguinolente à coups de dents, jamais je n'avais vu une telle manifestation de rage, de haine, quelqu'un à mes côtés a été pris de diarrhée et en serrant Flavien contre moi mon bras s'est retrouvé en contact avec sa peau et elle était toute froide et quand j'ai écarté la couverture qui l'entourait je me suis aperçu avec effroi, si tant est qu'il me fût encore possible de ressentir quoi que ce soit, que lui aussi était mort, kaput, une petite poupée blanche, déjà presque dure, le fou furieux a attrapé le malheureux affligé de dysenterie et lui a cogné violemment la tête dans sa merde ; juste quand le camion a pilé et que les portes s'ouvraient, avec le visage de Marianne hagarde et le black du début, se retrouvant nez à nez avec le barjot, un animal, un gorille, qui s'est jeté sur le militaire et l'a étranglé en y mettant toute sa force, la tête du black a paru exploser de l'intérieur, j'ai foncé devant moi, sans regarder, en criant à Marianne cours, cours, et d'autres aussi en ont profité, on nous a tiré dessus mais en un clin d'œil nous étions au milieu d'un petit bois, moi, Marianne, et le cadavre du petit enrobé dans sa couverture que je continuais à serrer comme s'il était vivant, ce qui n'était malheureusement plus le cas.

– Il va bien ? glapissait Marianne, Flavien va bien ?

Elle avait dû se prendre des coups sur la gueule parce que ses joues étaient enflées, ce qui lui donnait un air particulièrement bouffi et affreux, et une de ses arcades sourcilières s'ornait d'une croûte suintante et noirâtre.

– Très, j'ai haleté, il est mort.

Et dans mon esprit c'est ce qu'il pouvait lui arriver de mieux, j'avais comme une lance qui me transperçait le dos, dans sa couverture le cadavre me paraissait de plus en plus lourd, un fardeau de pierre.

– Oh, merci, elle a sangloté, merci mon Dieu, en m'arrachant le corps, tu es si beau Flavien, maman est là, je suis là, mon chou, mon petit chou, et elle a entrouvert sa chemise déchirée pour lui donner le sein.

Nous étions dans une zone qui avait dû ressembler à des champs cultivés, remembrée vraisemblablement, sillonnée par une armada de tracteurs et de moissonneuses-batteuses, et maintenant envahie par des herbes géantes, certaines de couleur rougeâtre, assez proche d'une vision de la planète Mars dans un roman d'anticipation des années quarante, toute activité agricole avait évidemment disparu.

Elle s'est assise sur une pierre et a fait téter goulû-
ment le bébé, j'ai failli redire il est mort, tu vois pas
qu'il est mort, mais dans le fond à quoi bon, la douleur
me sciait les omoplates, je me suis assis aussi, j'aurais
dû avoir faim et soif mais depuis la téléportation dont
d'après Marianne nous avions été victimes, j'étais lit-
téralement anesthésié.

– Mon bébé, susurrait Marianne à la couverture,
mon beau gentil bébé.

J'avais envie de m'allonger, de rester immobile et de
contempler les nuages, c'était la première fois depuis
des mois que je retrouvais un ciel normal, mais au loin
une rafale de mitraillette a crépité, provoquant chez
Marianne un spasme de terreur, et je l'ai entraînée à
toute allure, elle et l'enfant mort, notre enfant mort,
vers les profondeurs de la jungle, une partie étrange
de moi-même avait pris le commandement des choses,
insensible à la douleur, au chagrin, passant outre l'horreur et le fait que j'aurais dû effectivement déclarer
forfait, attendre juste l'extinction finale, au lieu de
pousser Marianne, marche, marche, avance, fais-le
pour Flavien, il y a eu un bruit derrière nous, un craquement de branche, le temps que je me retourne
Marianne s'était échappée et courait comme une déra-
tée à l'opposé de l'endroit où il me semblait judicieux
d'essayer de nous réfugier, plus loin dans les espèces
de taillis, pendant que le black me braquait avec sa
mitraillette, ça va, j'ai crié, lâche-nous, sois gentil, j'en
peux plus, vraiment j'en peux plus, ce qui était ridicule,
vu les circonstances, sois gentil, comme si ce genre
d'idioties avait encore cours, il a appuyé sur la détente
et j'ai senti les balles me traverser, une impression
bizarre d'avoir des trous à l'intérieur, et puis que ça se
refermait, comme du caoutchouc, le noir m'a regardé
avec des yeux effarés, sois gentil j'ai redit, lâche-moi,
mais d'une manière plus assurée, il a hésité, et puis j'ai
fait psch, va-t'en, psch, en pensant je suis immortel, il

m'a tiré dessus et les balles m'ont traversé sans dommage, je suis parti en boitillant, toujours poignardé par ma douleur dans le dos, le laissant à sa perplexité, j'avais maintenant la certitude d'être au milieu d'un puzzle mais sans avoir tous les éléments pour le reconstituer, et puis soudain la vérité s'est fait jour dans mon esprit, ce que je venais de vivre était la copie conforme d'une bande dessinée qui m'avait profondément marqué enfant, avec Mandrake le magicien, où il était emmené dans un camion, fait prisonnier, pour servir d'esclave, il arrivait à s'enfuir et quand le garde lui tirait dessus il déviait les balles grâce à ses talents d'illusionniste, ouvre les yeux criait Marianne, ouvre les yeux, Flavien est mort, et là j'ai repris d'un seul coup conscience, on était encore à Paris, personne ne nous avait téléportés, encore moins capturés en camion, mais par contre, je l'ai vu immédiatement, inerte dans les bras de Marianne, Flavien était bel et bien mort et je me suis mis à hurler, à hurler comme un cinglé, comme si tout ce que je venais de vivre, l'horreur, la peur, trouvait une conclusion macabre dans ce fait épouvantable, mon fils était mort et nous étions toujours vivants.

Je n'ai de la suite qu'une succession d'images, comme si la réalité s'était trouvée hachée et fractionnée sous l'effet de ces lumières qui inondaient auparavant les boîtes de nuit, où chaque corps, chaque mouvement, devenait l'instantané aveuglant et désarticulé de nos soubresauts, des images avec Marianne répétant telle une incantation, que non, il n'était pas mort, il était juste assoupi, qu'il s'agissait d'une épreuve, d'un passage, avant la résurrection, et qu'il fallait attendre, ne surtout pas perdre espoir, courage, l'image de nous, pauvres malheureux, portant ce poids, exactement comme dans mon rêve, à travers la banlieue dévastée, évitant par miracle les bandes et les mabouls qui rôdaient, accablés, ployés sous cet écrasant destin, parents d'un messie décédé, et pour l'instant, qu'on le veuille ou non, pas encore revenu d'entre les morts, assoiffés, affamés, Marianne à demi folle, tremblante de fièvre ; sans trop savoir comment nous avions fini par atterrir au péage, sur l'autoroute, comme si tout ce que j'avais cru vivre n'avait été que la préfiguration du sort sinistre nous attendant, mais cette fois aucun phare de camion n'était venu trouer l'obscurité, nous étions seuls, avec cette espèce d'aurore grisâtre qui se levait à l'horizon, il revit psalmodiait Marianne, il revit, je le sens.

Nous nous étions arrêtés, j'avais collé mon oreille sur la poitrine raide et glacée, affligé par avance, non Marianne, désolé, mais au lieu de ça j'avais relevé la tête et opiné, oui, tu as raison, je crois qu'on distingue vaguement quelque chose, elle était en sueur, elle avait l'air d'une folle, elle s'est signée et a salué, répétant plusieurs fois sa génuflexion, merci, merci, sur notre route nous avions trouvé un peu d'eau et des herbes que nous avions mastiquées jusqu'à l'écœurement, je le savais murmurait Marianne, une voix me l'avait dit, nous étions restés immobiles auprès du petit corps qui malgré l'évidence des signes tardait encore à reprendre complètement vie.

L'attente s'est prolongée, fort tard, Marianne enchaînait supplications, chants et signalétique gestuelle, des trucs en latin incompréhensibles, à se demander où elle avait pu les apprendre, en tournant autour de Flavien, une nausée me prenait, j'avais envie de lui dire de cesser, qu'il était mort, qu'on lui foute la paix et qu'on l'enterre, j'avais l'impression qu'il commençait à sentir, à se décomposer, quand la nuit est revenue elle s'est mise à couiner de plus en plus fort et petit à petit ça a dégénéré en véritable cri, *Pardonne-nous, Seigneur, nous enfantons la mort, pardonne-nous, Seigneur, pardonne-nous encore*, jusqu'à ce que sa voix se brise, qu'elle n'arrive plus à émettre le moindre son et qu'enfin elle se jette au sol en se déchirant la poitrine, en s'arrachant les cheveux, j'avais beau être fatigué, vidé, plus sensible à rien, il y avait quand même de quoi en être retourné.

On ne voyait évidemment pas la lune.

Il y avait des nuages.

Il ne faisait ni chaud, ni froid.

J'étais occis, lessivé.

Marianne a fini par mourir un peu avant l'aube, à bout, sanglotant toujours, puis se taisant, au moment où j'étais en train de me remémorer mon rêve, le camion, le viol, le costaud arrachant l'œil de l'autre, en me demandant si somme toute il n'y avait pas plusieurs univers, des dimensions parallèles, comme dans ces livres de science-fiction où le héros subit avec des détails différents plusieurs fois la même situation.

J'ai poussé ma femme sur le côté, pour m'assurer de la réalité du décès, et puis j'ai attendu, voir si là encore j'allais me réveiller, émerger dans un autre plan d'existence, revivre encore une fois, mais avec des variantes, les mêmes horreurs.

J'étais au-delà de la moindre émotion.

Il s'agissait peut-être d'une faille spatio-temporelle, d'une brisure dans la continuité avec laquelle nous étions habituellement en contact.

Je me suis demandé à quoi servait de peindre.

J'ai aussi réalisé que puisqu'ils étaient morts il n'était plus question de Nouvelle Vierge, de Messie et donc de protection supranormale.

J'ai pris conscience que j'allais mourir aussi et une grande résignation m'a submergé.

Je regardais la masse compacte des nuages, le paysage tout autour, une espèce de lande sablonneuse, ornée en fond de buissons squelettiques, et le vol de corbeaux qui tournoyaient au-dessus de nous, au-dessus de moi toujours vivant et des deux cadavres, produisait un effet hypnotique. J'étais au bord de per-

dre conscience, de me laisser aller définitivement vers
le puits sans fond qui m'attendait, et puis au moment
où j'allais basculer, un lutin intervenait gentiment, me
secouait, ne t'endors pas mon gars, un lutin comme
dans ces livres pour enfants sur les gnomes, j'avais
dessiné le même des années auparavant pour une
revue, il époussetait mon blouson, m'aidait à m'asseoir,
Marianne se relevait et prenait Flavien dans ses bras,
il y avait une odeur de café chaud et de la musique,
Bob Marley, fais gaffe m'encourageait le lutin, ouvre
les yeux, tu repars, j'ai réussi à reprendre conscience,
les corbeaux s'étaient posés et picoraient les morts,
j'étais comme un gros bloc de glace échoué sur le sable.

Je pouvais sentir le frôlement des plumages, et eux,
sans vergogne, attaquant mécaniquement leur joyeuse
activité, un gros freux m'a piqué la joue et une corneille
m'a escaladé, suivie d'une pie et d'un moineau, des
oiseaux, petits et gros, l'œil vitreux de Marianne, fixe,
hagard, l'œil de la mort, me regardait avec un air de
reproche, j'ai réussi à bouger mes doigts, tout mon
corps me paraissait engourdi et paralysé, j'étais sans
force, ma main est remontée centimètre par centimètre
jusqu'aux pattes de la corneille, et à l'instant où elle
allait commettre l'irréparable, crever l'œil du cadavre,
j'ai fauché l'air de mes serres crochues et je lui ai serré
le kiki, de toutes mes forces, comme un possédé, en
me redressant brusquement, les autres volatiles ont
décollé, alors que la salope se débattait et donnait des
coups d'aile, essayait de me griffer mais j'ai tenu bon
et au moment où j'ai senti qu'elle étouffait réellement
je me suis penché et j'ai planté mes dents dans son
cou, dans les plumes, ça avait goût de poussière et
d'animal, j'ai mordu dedans, sans lâcher et j'ai senti
un liquide chaud m'inonder, dans les cris de la pute
rendant l'âme, et moi aspirant chaque parcelle de cette
vie qui fichait le camp, qui me remplissait, avalant des
bouts de viscères, du sang, la bouillie qui en sortait,

enculés, j'ai hurlé après les oiseaux, enculés, je vais tous vous tuer, et là une pensée saugrenue m'a traversé l'esprit, *Maître Corbeau que vous êtes joli, que vous me semblez beau, si votre ramage est égal à votre plumage vous êtes le phénix des hôtes de ces bois*, le Phénix, a insisté la voix, le Phénix, et je me suis mis à rigoler, je venais de dévorer un corbeau vivant, je l'avais englouti comme un casse-croûte un jour de grande faim. Les autres salopards me regardaient, restant à distance, couic j'ai refait dans leur direction, couic, je vais vous bouffer tout cru, toujours en rigolant, je ne pouvais plus m'arrêter, j'en avais des hoquets et le goût ignoble m'est remonté d'un seul coup.

Le soir j'étais encore là, sans arriver à partir, pour aller où, pour quoi faire, j'étais peut-être le dernier habitant de la terre, c'était même évident, tous les autres avaient disparu, m'avaient laissé, moi, l'unique, le restant, j'ai fini par m'allonger auprès de Marianne et de Flavien, souhaitant la mort, ou le néant, l'anéantissement qui ne venait pas, mais au matin j'étais toujours de ce monde, et comme il fallait bien enclencher quelque chose je me suis traîné jusqu'au bosquet et j'ai mangé des feuilles, un corbeau vivant et de la bonne herbe crue, quel festin mes chéris, avant de m'atteler à ce que je redoutais, ce que j'écartais depuis la veille, l'ensevelissement de mes morts, il leur fallait une sépulture décente, une tombe, il leur faut une tombe, les tombes, ensevelir ses morts, c'est un des départs de l'humanité, tout se bousculait dans ma tête, creuser un trou avec mes mains, mes doigts, le sable n'était souple qu'en surface, tout de suite c'était de la terre, dure, et je voyais les deux un peu plus loin à la merci des horreurs, pourrissant et leurs os blanchis restant là immobiles, pendant des années, j'avais les mains en sang, les doigts écorchés, par moments je me mettais à pleurer, des pleurs de rage, pourquoi, et comment, et quel était le sens et si Flavien n'était pas le Messie à quoi rimaient toutes ces simagrées, quand j'ai enfin pu les tirer vers leur dernière demeure j'étais nettoyé de tout, dégoûté, écœuré, j'avais enterré ma famille avec mes mains, comme le dernier des derniers, et je ne croyais plus en rien.

Mettre une croix ou d'ailleurs quoi que ce soit d'autre m'aurait fait mal aux seins, j'ai quand même opté pour un petit rond en cailloux, un rond ou un zéro, avec des galets que j'ai disposés à peu près à hauteur du cœur de Marianne, les oiseaux attendaient toujours, sinistres vautours guettant leur proie, j'avais envie de voir la mer, de manger des poissons, d'être sur la plage, dans une hutte, en faisant du feu avec le bois échoué et séché par le soleil, au revoir j'ai dit au tombeau, au revoir et dormez bien, ce qui n'était pas la plus heureuse des épitaphes, autant en convenir, et je suis parti en clopinant, moi le dernier des survivants d'une planète détruite, je suis parti en clopinant avec tout de même dans l'idée de rattraper la Loire, et puis de suivre le fleuve jusqu'à l'océan, dans le fond rien ne prouvait qu'il n'y ait pas des régions épargnées, des lambeaux de civilisation préservés ici ou là, et tout seul, sans les deux avec moi, j'avais plus de chances d'arriver à tirer mon épingle du jeu.

D'arriver à tirer mon épingle du jeu.

Au moment où je me la formulais la connerie de ma réflexion m'a envahi.

Devant moi s'étendait un désert.

Une lande désolée, à la végétation rare et pelée, et pas une âme à l'horizon, même pas un corbeau, rien, le vide et la solitude.

J'avais maigri.

J'étais épuisé, j'étais sale.

Je peux arriver à tirer mon épingle du jeu, je me suis répété.

C'est possible.

J'avais dévoré un oiseau vivant.

Et ma femme et mon fils avaient succombé, étaient morts.

J'avais maintenant la cruelle certitude que, non, effectivement, nous n'étions pas des Elus, ni des messies, ni la Nouvelle Vierge, ni le chevalier servant caracolant pour les accompagner.

Le vent m'a fouetté le visage. Je n'avais pas trente-six solutions, j'ai essayé de mettre un pied devant l'autre, et comme j'ai pu, à moitié en boitant, m'appuyant sur une canne de fortune, j'ai recommencé à marcher.

Le monde autour de moi m'apparaissait étrange et sournois.

J'avais des images d'extinction, de cycle s'achevant, des gens stupéfaits, regardant autour d'eux un froid polaire descendre sur la terre, les paralysant, les figeant dans un étonnement amer, l'incrédulité face à la méchanceté du sort, cette glace qui s'étendait, recouvrait tout, annihilant la chaleur du soleil, les palmiers et la douceur de vivre, des gens habillés bizarrement, un mélange de martiens et de citoyens romains, un continent perdu projetant à travers les siècles sa mémoire oubliée, les images étaient aussi distinctes qu'une séance de télévision grand écran, le Groenland et l'anéantissement d'une civilisation, et malgré tout je continuais d'avancer, à demi enveloppé dans ces rêves bizarres, d'avancer comme un automate, vers une destination cachée, la Loire ou la mer, l'océan, ou peut-être juste les brasiers de l'enfer, vers des millénaires de souffrance et de torture.

Un chien invisible s'est précipité sur moi, m'agrippant la jambe de ses crocs baveux, jaillissant de l'éther, coupant court à mes velléités de stopper et me replaçant de ce fait illico sur cette route peuplée de fantômes et de gens étranges qui me croisaient indifférents, ailleurs, préoccupés par leurs propres tourments, et je réalisais soudainement le sens de la douleur, une de ses fonctions, nous permettre d'être présents au monde, totalement, sans échappatoire, sans absence, d'être là intégralement, le corps et l'âme réunis dans un même cri, de nouveau j'avais soif, ma gorge n'était plus qu'une brûlure insupportable, une sorcière se détachait de la foule et me tendait une gourde, charme efficace puisque quelques instants plus tard j'arrivais en vue d'un puits, silhouette incongrue surgie au milieu de la steppe, un seau y était accroché et je n'avais qu'à dévider la corde, aussi simplement qu'une publicité pour les joies de la ferme, tirez donc l'eau du puits, je vous en prie, j'ai bu, mon Dieu, comme jamais je n'avais bu de ma vie, comme si je n'avais jamais goûté un liquide si formidable et si velouté, le plus délicieux des nectars, de l'eau, je me suis déshabillé entièrement et je me suis aspergé, lavé, récuré, propre enfin, pas autant qu'avec du savon ou après un bon bain, mais suffisamment quand même pour que je me sente mieux, que je reprenne un peu espoir et courage.

J'ai attendu, anxieux, que l'effet de ce nouveau mirage se dissipe, mais rien de semblable ne s'est passé, pas de fumée ni d'abracadabra, le puits était bien réel, un peu plus loin il y avait une route, bitumée, et les ruines d'une ferme, visiblement fraîchement démolie, dans les décombres j'ai trouvé une hache et un grand couteau, le chien invisible a opéré une réapparition, suivi de la sorcière me faisant des signes, allez, dégage, au boulot, et j'ai repris mon chemin, la tête vide, comme un pantin ballotté de cahot en cahot, l'esprit plongé dans une obscurité qui confinait maintenant à une sorte d'anéantissement de moi-même, de ce que j'avais toujours considéré comme le point fondamental de ma personnalité : mon pouvoir de décision.

La route serpentait à travers la plaine, exactement à la manière d'un grand cordon noir délicatement posé sur ce qui autrefois avait dû être des champs, fertiles et prospères, par instants j'avais des hallucinations où d'immenses portiques surgissaient du néant, des arceaux de croquet métalliques démesurés sous lesquels il était obligatoire de me faufiler, je me retournais et une énorme boule était là, en bois, je pouvais en distinguer les nœuds et les fendillements, elle se mettait à rouler dans ma direction, m'obligeant à courir, à courir comme un dingue, moi déjà si fatigué, je voulais quitter la route, m'extraire du jeu, mais le chien invisible se précipitait sur moi, la sorcière me repoussait de son balai, et je devais passer sous le premier arceau, déclenchant immédiatement un mécanisme aussi compliqué que diabolique, mes parents et ma sœur étaient suspendus à des crochets et le fait que je traverse la ligne fatale les précipitait sur des pals, leurs cris muets me glaçaient d'horreur et d'effroi, derrière moi la boule s'arrêtait, bloquée par l'arceau et je me carapatais à fond, ma sœur avait une pique qui la traversait de dessous le menton jusqu'au nez, lui conférant un air grotesque et sanguinolent, je courais, je courais aussi vite que j'en étais capable, en hurlant.

Il y avait des flux électriques violents, des cris, des gémissements, le ciel au-dessus de moi se chargeait d'orage et d'une tension telle que le couteau et la hache que je brandissais toujours paraissaient se tordre et se densifier tout à la fois, des nuées de personnages baroques se dressaient sur mon passage, mes cousins, un voisin que nous prenions un malin plaisir à insulter quand j'étais petit et qui m'avait donné une gifle pour avoir volé le vélo de sa fille, le boucher que j'attaquais avec mes épées en plastique, tout ce monde apparaissait et me faisait des coucous, spectateurs d'un tour de France macabre, des vieux, les centaines de vieux que j'avais escroqués, spoliés, ajoutés aux milliers de mensonges débités, les conneries proférées s'affichaient, flottaient dans l'air, vers le soir la cavalcade avait pris fin aussi soudainement qu'elle avait commencé, j'avais pu faire halte dans un bar-restaurant-hôtel, désert évidemment, mais où restait une conserve avariée et un peu de Fanta Orange, j'avais dormi sans rêver à rien, si fatigué que même penser n'était plus envisageable, et au matin la sérénade avait recommencé, au boulot, au boulot, la sorcière me pinçait et le chien me mordait, au boulot salopard, au boulot, j'avais essayé de leur mettre un coup de hache, de les frapper, mais sans rien rencontrer que le vide, mon univers n'était plus peuplé que de fantômes, de souvenirs et d'ectoplasmes, j'avais basculé dans une autre dimension, dans la folie, les crocs du chien étaient revenus me déchirer le mollet, je m'étais remis à courir.

Le purgatoire, je devais avoir atterri, par une opération mystérieuse, dans cet endroit étrange décrit par la religion catholique, précédant l'enfer, j'avais beau faire un effort de mémoire terrible je n'arrivais pas à me rappeler exactement de quoi il s'agissait, si c'était systématiquement avant l'hypothèse la pire ou si le paradis était aussi possible, cours enculé, cours, les gens sur le bord, ma propre famille, mes amis me lançaient des détritus, des cailloux, m'insultaient, cours, pourri, salopard, jusqu'à ce que cette fois vraiment à bout je stoppe, préférant une mort certaine, écrasé, à ce délire, je m'étais retourné et la boule qui me poursuivait n'était plus en bois, mais en chair, la chair de tous ces gens que je voyais depuis la veille, pétris dans un magma à vomir, dans une odeur de charnier épouvantable, il y avait des bras, des têtes qui dépassaient, tirant la langue, suffoquant, réduits en une bouillie compacte d'où apparaissaient par instants, selon les inclinaisons du globe, les identités de ces malheureux qui hantaient ma fuite.

Et le pire, le pire, était encore cette impression infâme, indescriptible d'une atmosphère de mort, de décomposition, venant non pas de l'extérieur, de toute cette horreur de cadavres et moribonds entrelacés, mais des profondeurs mêmes de mon essence intime, de mon être premier, suscitant une triste confirmation, oui, j'étais bel et bien maudit, promis aux flammes, livré à la putréfaction et à la gangrène pour l'éternité, j'étais foutu.

Je n'aurais jamais imaginé que l'on pouvait être aussi fatigué.

L'idée du karma m'a traversé l'esprit et je me suis demandé ce que j'avais bien pu commettre comme vilenies par le passé pour en arriver là aujourd'hui.

La présence des saddhous adorateurs de Shiva que j'avais sentie la nuit où j'avais dormi parmi les cadavres est venue se mêler aux spectres à demi transparents qui galopaient toujours le long de la route.

La boule de chair décomposée a accéléré, j'aurais voulu stopper, qu'elle m'écrabouille et qu'enfin je disparaisse, mais l'épouvante a été la plus forte, et dans un élan surhumain j'ai réussi encore une fois à augmenter l'allure.

Un pouvoir avait pris possession de moi et s'était substitué à ma volonté.

Le cauchemar dura sept jours. Sept jours durant lesquels je vis la totalité des gens croisés depuis ma naissance et d'autres, nombreux, que je ne connaissais pas, l'horreur commençait le matin, au boulot, au boulot, et s'arrêtait le soir, avec une pause le midi pour déjeuner, une pause syndicale, ha, ha, à chaque fois j'avais droit à un petit sandwich, ou à un animal, un peu d'eau, un rat, déposés par le Saint-Esprit soucieux de ne pas voir sa proie mourir de faim, le strict minimum pour survivre, le soir je sombrais dans un coma noir traversé par instants de l'impression vague d'être une coquille de noix que des forces étranges fendaient en deux, une soucoupe volante s'approchait et jetait par-dessus bord une échelle de corde, aidez-moi je vous en supplie, aidez-moi par pitié, mais les extraterrestres restaient sourds, en tout cas en retrait, la coquille se refermait et de nouveau j'avais l'épouvantail de la sorcière qui me secouait, au boulot, au boulot, c'était reparti pour un tour.

Je voyais ma vie, ma destinée comme un ruban douloureux se dévidant sans fin, un ruban infernal de papier de verre sur lequel venait frotter de manière atroce le moindre recoin de mon existence, *le purgatoire, et l'expiation, et la purification, et la souffrance qui sont en même temps joie, car rien sinon la Joie du ciel n'est comparable à la joie des âmes brûlées par le feu de l'amour purificateur*, une voix de stentor me braillait ça dans les oreilles, des morceaux épars de texte, surgis d'on ne sait où, s'imprimaient devant mes yeux, *pour accéder à la béatitude il faut franchir le seuil de la mort, on ne peut être Dieu si l'on n'est pas d'abord arraché à soi*, cette phrase revenait comme un leitmotiv, un mantra, cours, cours et pense, récite les commandements sacrés, je n'avais même plus la force de leur dire d'aller se faire enculer.

Et puis Dieu merci comme tout a une fin, y compris apparemment l'Ignominie précédant les Enfers, la silhouette à demi transparente des spectres s'est effacée, la boule d'horreur s'est arrêtée, me laissant continuer ma galopade sans elles, les glapissements de la sorcière se sont définitivement tus et la campagne qui depuis le début ressemblait à une Sibérie ravagée par un séisme nucléaire a repris des couleurs, d'après un calendrier traditionnel on aurait dû se trouver à la fin de l'été, et effectivement çà et là il y avait des arbres, des pommiers, des pruniers, avec, j'en avais mal dans la mâchoire tellement je salivais, des fruits, des fruits mûrs qui n'attendaient plus que ma main pour les cueillir, je me sentais comme au sortir d'une maladie, j'en avais bavé, certes, mais maintenant ça allait coller, la vie reprenait ses droits et d'un coup de baguette magique annihilait les effets sournois de cette mauvaise grippe, j'en avais l'intuition profonde.

J'étais à l'entrée d'un village, un village coquet qui

respirait la quiétude et la douceur de vivre, orgueil typique de notre belle campagne française, avec des maisons centenaires, de la vigne sur les murs et une place où il devait faire bon jouer aux boules.

– Il y a quelqu'un ? j'ai balbutié, allô, y a-t-il quelqu'un de vivant ?

Mais personne ne m'a répondu, j'ai commencé par me boulotter des prunes, tel un mort vivant, comme l'affamé que j'étais après mon passage aux enfers, et puis je me suis désaltéré à la pompe, qui, autre petit miracle dans ce dénouement surprenant, fonctionnait parfaitement, en deux ou trois mouvements un geyser en jaillissait, j'avais pu me laver, boire, il faisait bon, même si on ne voyait toujours pas le soleil l'air était doux, une fin d'été paisible, précédant un automne qui s'annonçait clément.

J'étais abasourdi d'être toujours là.

Une des maisons semblait dominer les autres, grande et bourgeoise, avec d'ailleurs une plaque de notaire fixée sur la grille, je me suis aventuré à l'intérieur, toujours en criant il y a quelqu'un ?, quelqu'un est là ?, je ne tenais pas à me prendre un coup de fusil ou de fourche, mais seul un silence de mort m'a répondu, j'étais apparemment seul, dans le village fantôme où tout paraissait intact, la porte d'entrée était fermée mais, en passant par le jardin j'ai pu casser une fenêtre et investir le rez-de-chaussée, la première chose que j'ai vue c'est des livres et des étagères, des bibliothèques avec des volumes reliés à n'en plus finir, les murs en étaient couverts, et dans les pièces suivantes aussi, avec de grands tableaux çà et là, des bons tableaux, des tableaux intéressants, qui dégageaient un charme étrange, peut-être des thèmes bibliques, ou mythologiques, quoique à y regarder de près j'aurais eu du mal à définir précisément de quelles scènes il s'agissait, j'ai fini par m'asseoir dans un grand fauteuil en cuir posé devant la cheminée et avisant une petite table roulante garnie de bouteilles d'alcool je me suis servi un cognac.

J'ai avalé une gorgée d'alcool et j'ai essayé de mettre de l'ordre dans mes idées.

J'ai repensé à Marianne, à sa mort et à celle de Flavien.

J'avais rêvé une première fois que je les avais tués, que je les avais assassinés, et ensuite au moment de quitter Paris, j'avais basculé dans une sorte de cauchemar où Marianne se faisait violer et où là encore Flavien succombait.

Et juste après ils étaient morts, une mort des plus réelles, j'avais creusé leur tombe de mes propres mains.

J'ai fini mon verre et je m'en suis servi un autre, la vérité était doucement en train de s'insinuer dans mon esprit.

Une vérité dure à digérer mais dont l'authenticité ne faisait pas l'ombre d'un doute, j'avais organisé tout ça, la mort des miens, de ma femme, de mon fils, et peut-être même aussi le reste, les catastrophes et la fin du monde.

Il était manifeste qu'un désir aussi funèbre qu'inconscient à l'égard de Marianne et de Flavien était latent, flottait au tréfonds de mon esprit depuis fort longtemps, n'avais-je pas à maintes reprises souhaité leur mort, imaginant les pires choses, qui avaient fini par arriver.

Le cognac terminé j'ai attrapé la bouteille de bourbon, il était vaguement tiède mais malheureusement je n'avais pas de glaçons sous la main.

Quant à la fin du monde il y avait un tableau peint des années auparavant qui revenait me hanter, il s'agissait d'une réunion de famille un soir de Noël et je l'avais composé avec le sentiment qu'il s'agissait du dernier Noël avant l'Apocalypse, avant Armaguédon, c'était d'ailleurs le titre, *Dernier Noël avant la fin des temps*, et c'est indéniablement ce qui était arrivé peu après, idem pour le Léviathan, je me rappelais parfaitement avoir pensé, au vu des malheureux embringués dans cette histoire d'Innocents à l'église de Belleville, qu'il serait cocasse que le monstre vienne les faucher, et quelques semaines plus tard j'avais assisté de mes yeux au spectacle. A mon quatrième verre de whisky j'étais donc arrivé à la conclusion évidente, lumineuse, que oui, j'étais bel et bien Dieu et que mon cerveau malade, détraqué pour une raison que j'analysais encore mal, avait fomenté cette aberration : la terre et sa population, et puis l'avait en partie vouée à une destruction certaine.

Restait à comprendre ce que je fichais là. Si j'étais réellement Dieu, ce qui à mon avis était à pratiquement quatre-vingt-dix-neuf chances sur cent certain, pourquoi avais-je éprouvé le besoin de venir me fourrer dans la gueule du loup ?

La cheminée était remplie de bois sec, prêt pour une flambée, l'alcool aiguisait ma capacité de raisonnement, je ne m'étais jamais senti aussi lucide, en approchant l'allumette de la masse de fagots j'ai eu la révélation de ma présence ici : j'avais créé la terre, les hommes, et devant les reproches que n'avaient pas manqué de m'adresser un certain nombre d'autres dieux, amers et jaloux de ma réalisation, j'avais, pour leur prouver la justesse de mon entreprise, décidé de m'incarner.

Po po po j'ai pensé, et ben merde, elle est bonne celle-là. J'en étais sur le cul.

J'ai essayé de respirer fort, de me calmer.

Dieu, le créateur des mondes, et j'étais là à me faire chier comme un damné dans ce truc à la con.

Comme un damné, oh putain les salauds.

Je n'imaginais que trop bien les mesquineries, les petitesses des uns et des autres, ce que j'avais enfanté était trop beau, trop achevé, cela ne pouvait susciter évidemment que hargne et bassesses, je n'avais dû accepter cette solution, m'incarner et venir habiter mon chef-d'œuvre, que le couteau sous la gorge. Avec le feu et l'alcool j'avais de plus en plus chaud. J'ai reposé mon verre, il était temps de reprendre en main la situation, ma tête est venue s'affaler sur le dossier du fauteuil, dans la seconde d'après je dormais à poings fermés.

ÉLECTRE

Qu'y a-t-il, mes amies ? où en est le combat ?

LE CORYPHÉE

Je ne sais, mais j'entends la plainte d'un mourant.

ÉLECTRE

C'est dire que je dois mourir. Que tardons-nous ?

Il y avait aussi Ulysse, des bateaux qu'on incendiait et un taureau plus gros qu'un éléphant donné en sacrifice, quand la lame s'enfonçait dans sa chair on s'apercevait qu'il était creux et qu'il s'agissait du cheval de Troie, en me réveillant j'avais la bouche pâteuse, le feu était éteint et il flottait dans la pièce une atmosphère indéfinissable, des gens se tenaient autour de moi, dans le silence environnant, statues invisibles épiant le malheureux promis à un sort funeste, et puis je me suis réveillé complètement, en me rappelant qui j'étais exactement, le Créateur des Mondes, Dieu tout-puissant, et cette pensée m'a rasséréné.

Dans la cour j'ai réactionné la pompe et je me suis douché à l'eau glacée, le jour se levait, j'ai fait le tour du village, on aurait dit que des martiens avaient d'un charme enlevé la population, l'étal de l'épicerie était encore sorti, les fruits et les légumes pourris à l'intérieur des casiers témoignaient d'une disparition aussi brusque que mystérieuse, j'ai pété le carreau de la porte d'entrée, à chaque jour son verre brisé a chuchoté une voix au fond de moi mais je n'y ai pas prêté attention, les étagères étaient garnies de conserves, confitures et victuailles diverses, je suis retourné au pavillon chargé de mes provisions, toujours obscurci par ma gueule de bois et cette certitude récurrente d'être issu d'un Olympe perdu et malgré tout vraisemblablement proche, suffisamment en tout cas pour que je puisse espérer y retourner rapidement. ·

Sous l'évier j'ai trouvé deux bouteilles de gaz, apparemment pleines parce que quand j'ai tourné le bouton et fait jouer l'étincelle du piezzo le feu s'est allumé illico et j'ai pu me faire chauffer de l'eau pour des pâtes. J'avais un paquet de spaghettis dans une main, de la sauce tomate dans l'autre, certes il me manquait des oignons, un peu de gruyère et de parmesan, mais il n'empêche, j'allais manger un plat chaud, un de mes plats préférés, des spaghettis bolognaise, eh oui j'ai hoché la tête, même le Tout-Puissant à ses faiblesses, j'avais presque les larmes aux yeux, l'eau commençait à bouillir et je me suis retrouvé en train de sangloter, d'habitude c'est Marianne qui me les préparait, al dente et les oignons bien rissolés, une épouvantable tristesse s'emparait de moi, pourquoi étaient-ils morts et que n'avais-je empêché un tel désastre, le poids du chagrin ressortait tout à coup, un flot soudain que je ne pouvais endiguer, j'ai englouti mon assiette de spaghettis entre deux hoquets, c'était trop affreux de repenser à eux.

J'ai fini de manger et machinalement j'ai fait ma petite vaisselle, vieillard effondré dans l'attente d'un signe, d'un appel, de n'importe quoi, d'un coup de tonnerre, cette histoire que j'étais Dieu commençait à m'apparaître quand même un peu farfelue, c'était possible que je le sois comme il y avait aussi une forte probabilité pour que je ne le sois pas, et dans une hypothèse comme dans l'autre j'étais tout aussi mal barré, Dieu égaré sur la terre, comme un touriste sans passeport et sans carte de crédit au fin fond du Sahara, avec de plus un paquet d'ennemis n'ayant aucune envie de me voir revenir siéger au conseil d'administration, la situation n'avait rien de joyeux, et si je n'étais qu'un pauvre bougre, voire même le dernier des pauvres bougres, assommé par le fracas assourdissant de cet effondrement du ciel et de la destinée, ce n'était pas gai-gai non plus. Je me suis rapatrié vers la salle à manger et j'ai pris au hasard un livre dans la bibliothèque, un signe, un message, j'ai ouvert au hasard des pages et j'ai commencé à lire.

« Voici la postérité des fils de Noé, Sem, Cham et Japhet... »

Mais au lieu d'être présentée ensuite sous forme littéraire, la descendance de ces héros de la Genèse était formulée en tableau généalogique.

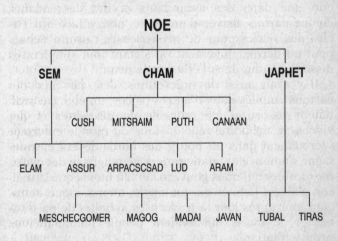

Il y avait comme cela des milliers de noms, déclinés en diagramme, des noms d'un autre âge, surgis du fond des temps, Abilèmec, Picol, Saba, Havila, Joktan, Uzal,

Hatsarmaveth, j'avais les tempes qui bourdonnaient, j'ai attrapé un autre volume, et puis un autre encore, ce n'était que ça, des noms, des dates, des réseaux enchevêtrés qui se déroulaient à perte de vue, des cartes, des ribambelles de lignes et de traits organisés en une succession inexorable, assurant, génération après génération, la bonne marche du monde, son avancée tranquille vers le jour final, j'ai grimpé sur l'escabeau disposé le long des étagères et j'ai fait dégringoler une pile coincée en hauteur, en tombant les pages se sont ouvertes et une carte postale représentant des statues de géants, les statues de l'île de Pâques a glissé sur le tapis, des géants je me suis dit, nous sommes les enfants des géants et j'ai été pris d'un ricanement nerveux, je crois que ma raison était en train de s'égarer.

Il y avait des généalogies datant de l'Antiquité, de Rome, du Moyen Age, des rois, des roturiers, des gens illustres et d'autres qui l'étaient moins, avec pour chacun une date, des ascendants et des descendants, chaîne parfois égayée d'un blanc, nom effacé aux siècles des siècles pour de mystérieuses raisons, échappant au dernier jugement ou s'étant tout simplement dissous, fondu, dans l'éther et le néant.

Il y avait aussi des microfilms, des classeurs, des cartons empilés dans d'autres pièces, un énorme ordinateur assorti d'une muraille de disquettes et des vidéos, la mémoire généalogique du monde enfermée secrètement dans un bourg des bords de Loire, montagne s'amoncelant patiemment, témoignage des cycles inexorables qui nous gouvernaient, à moins que la maison n'ait été habitée par un cinglé, un maniaque, retraçant jour après jour, à travers les kyrielles de naissances et de morts qui avaient peuplé l'humanité, sa propre filiation.

Dans tout cet encombrement il n'y avait pas un livre, pas une revue, si ce n'est une collection complète de journaux spécialisés en successions, problèmes notariaux et sujets de ce type, et également, posée sur la table de nuit à côté du lit, au premier étage, dans ce qui avait dû être la chambre à coucher de l'original, une Série noire, *Les Racines du mal*, dont le titre m'a intuitivement semblé l'écho parfait du reste, de cet enchevêtrement d'existences réduit à une date et un patronyme et surgissant des ténèbres incertaines du passé pour venir s'imprimer comme une trace maléfique sur les listings d'un fou.

Les Racines du mal.

L'ordinateur était un IBM plutôt vieillot.

Là aussi il y avait quelques tableaux aux murs, sombres, bordés de ciels rougeoyants.

Au-dessus de la porte était affiché un écriteau, « Qui veut comprendre le fonctionnement du monde n'a qu'à regarder les vagues de l'océan, la manière dont elles se brisent sur la plage est semblable à l'organisation qui implacablement nous régit », il n'y avait pas de nom d'auteur et j'ai trouvé la phrase prétentieuse et un peu surfaite.

Les Racines du mal.

Cette maison était une porte sur l'abîme abominable où s'entassait l'âme de tous les malheureux qui avaient peuplé la terre.

L'antichambre de la maison des morts.

Le bureau du greffier, qui sans relâche avait enregistré le passage de chacun, l'avait inscrit dans le grand livre afin de témoigner avec exactitude du rôle des uns et des autres, de leur ponctualité à s'acquitter de cette dette terrible qui était la nôtre, après tout quel esprit supérieur aurait pu certifier que la terre n'était pas l'enfer d'un autre monde, j'avais la bouche sèche et mes mains tremblaient, j'ai attrapé la Série noire et je l'ai balancée à l'autre bout de la pièce.

Les Racines du mal.

Je t'encule j'ai dit, je t'encule pauvre salaud, à l'intention de l'invisible notaire, du livre, ou juste de la folie qui me gagnait, une rage épouvantable, j'ai encore une fois hurlé pauvre salaud, pauvre salaud, sans m'arrêter pendant au moins un quart d'heure, en cassant tout dans la chambre, vous ne m'aurez pas, vous ne m'aurez pas et rira bien qui rira le dernier, je bavais comme un forcené, une scène hystérique de quelqu'un dépassé par les événements, j'ai fini par me calmer et m'écrouler sur le tapis, un tapis en laine aux motifs compliqués qui n'étaient pas sans rappeler le plan mystérieux d'un labyrinthe et je suis resté prostré jusqu'au soir, paralysé par un venin sournois, une sensation diffuse, la maison prenait possession de moi, s'emparait de sa chose.

Je ne sais pas combien de temps s'est écoulé ainsi, si c'était le jour, la nuit, ce qui se passait ou ce que je ressentais vraiment, car à vrai dire le temps lui-même semblait s'être enfui, j'avais juste de vagues éclairs par moments puis le tapis m'aspirait, je devenais motif du labyrinthe, figé dans un parcours étouffant qui se mêlait à ma course folle où j'étais poursuivi par la boule, le visage des uns et des autres qui revenait encore, et la soif, une soif mortelle que rien n'allait jamais pouvoir étancher vraiment.

Tuuut faisait une sirène invisible, tuuut, tuuut, tuuuut, et j'eus l'impression d'avoir vécu cet instant, tuuuut, j'étais assis devant l'ordinateur et des diagrammes à n'en plus finir se déroulaient sur l'écran, Moïse, Enée, des noms que je ne connaissais pas, Léonard de Vinci, Louis XVI, Adolf Hitler, et puis plus rien, je me suis levé et j'ai fait fonctionner l'interrupteur de la chambre, le plafonnier s'est allumé, l'électricité fonctionnait parfaitement.

Il y avait quelqu'un dans la maison.

Quelqu'un qui m'épiait et m'attendait, prêt à me faire un sort, ou à essayer de me rendre dingue définitivement.

J'ai dévalé quatre à quatre les escaliers, toutes les lumières du rez-de-chaussée étaient allumées.

Je vous encule, j'ai repensé, je vous encule qui que vous soyez, et puis je me suis souvenu qui j'étais réellement, Dieu, le Tout-Puissant, projeté dans un contexte difficile par une série de hasards purement conjoncturels et cette réflexion m'a fait du bien, m'a apaisé, je ne bougerai pas j'ai annoncé d'une voix plus assurée, je vous attends.

Personne n'était en droit de me faire subir ce que j'avais subi jusque-là.

Je suis allé dans la cuisine et j'ai attrapé un couteau, je vous attends bande de pédés, montrez-vous si vous en avez le courage. J'en avais les cheveux dressés à la verticale, je me suis calé le dos au mur, prêt à livrer mon dernier combat, Zeus déboussolé faisant face aux mille démons de l'Olympe en révolte, j'avais la vague intuition que si je mourais la bataille serait perdue et que mon âme, et peut-être même l'essence divine qui maintenant était la mienne, serait anéantie à jamais et s'évaporerait tristement sous le soleil de midi aux confins de la stratosphère.

Mais personne n'est venu, nul maléfique démon n'a montré le bout de son nez, si bien qu'à la fin je commençais à avoir mal aux doigts à force de serrer le manche de mon poignard, que j'ai fini par reposer, vous préférez jouer la montre bande d'enculés, vous entamez la guerre des nerfs, si j'étais réellement Zeus le Tout-Puissant je me suis demandé qui était dans le coup de la rébellion, je voyais mal mes frères Poséidon et Hadès impliqués dans le complot, quoique en matière de trahison il ne faille jurer de rien, de toute façon il était évident que j'avais, tout au long de mon règne, heurté de nombreuses susceptibilités. Je vous encule bande de salauds, mais comme personne vraiment ne se décidait j'ai opté pour une sortie, il faisait beau et n'eût été le silence de mort qui régnait aux alentours et l'absence de vie rien n'aurait pu indiquer que nous étions pile quelques minutes avant la fin des temps et que j'étais le dernier survivant de cette planète.

J'ai respiré plusieurs gorgées d'air pur, en essayant de me calmer, et puis je suis revenu me nicher dans l'antre, aimanté par ses maléfices, habité par un brouillard noir que la lumière n'avait aucune chance d'arriver à dissiper.

Puisqu'il y avait de l'électricité autant en profiter pour mettre un disque. J'ai ouvert le réceptacle de la platine laser et j'ai posé au hasard un compact sur le socle, je n'avais pas écouté de musique depuis la Java, depuis la Java et le sinistre *Demain il fera noir, demain sera tout noir,* le jour du phénomène surnaturel, pendant la grossesse de Marianne, j'ai refermé et j'ai appuyé sur play, les premières notes ont jailli, d'une pureté absolue, enfin c'est ce qu'il m'a semblé, comme annonciateur d'un renouveau paradisiaque, d'une élévation, me faisant vibrer à l'unisson de ce chœur céleste, au moins si la mort me prenait maintenant ce serait l'âme ravie et les sens en harmonie avec le reste de l'univers, avec le cosmos, le cosmos j'ai murmuré, le cosmos, le cosmos, j'avais des réminiscences d'un livre où le héros, naufragé perdu, se forçait à parler à haute voix pour ne pas perdre l'usage du verbe, le cosmos j'ai chantonné, en-har-mo-nie-a-vec-le-cos-mos.

Dans les jours qui suivirent j'écoutai beaucoup d'opéra, j'avais découvert la source magique nous alimentant en électricité, la maison était équipée d'un capteur solaire relié à des accumulateurs, si la télé avait encore marché j'aurais même pu la faire fonctionner.

J'étais hanté d'images étranges, des paysages lunaires où des rochers disposés d'après un ordre archaïque (dont la signification me restait incompréhensible) paraissaient surgir du fond des mers. Chaque menhir-

116

participant avait un rôle extrêmement précis à tenir, selon la nature des minéraux qui le composaient. Certains étaient d'ardoise, d'autres de basalte, l'on voyait à leur surface briller des cristaux et il me semblait qu'il aurait juste suffi d'un effort pour avoir accès à l'intelligence qui les animait. Les figures dessinées auraient pu signifier une cosmogonie compliquée, un plan des astres ou l'érection inquiétante d'idoles anciennes, je savais pourtant qu'il n'en était rien. Les rouages du monde qu'ils étaient censés représenter participaient d'une logique ô combien plus hermétique.

J'avais trouvé un cahier, le journal intime du notaire, et d'en lire des passages me donnait sur la succession d'événements insensés qui m'avait amené ici, aujourd'hui, projeté dans ce cauchemar, un éclairage différent, la fin du monde avait été ressentie de manières diverses, je parcourais les pages en découvrant la vie du village à travers les catastrophes qui avaient secoué la région et aussi, en filigrane, personne n'aurait pu m'en faire démordre, c'était très net dans certains passages, une trace évidente des forces occultes qui, mises en branle, causaient ma perte.

Mardi
Nous avons réussi à nous organiser sans trop de heurts, certains voulaient partir immédiatement, se réfugier plus au sud mais après réflexion nous avons décidé à l'unanimité de rester. Les rumeurs d'un accident survenu à la Centrale sont suffisamment alarmantes pour être prises en compte, il a donc été convenu qu'à la première alerte (Charles Jean possède un compteur Geiger qui doit paraît-il nous informer de toute menace réellement sérieuse) nous évacuerons le village. Des antidotes à base d'iode sont prêts. Je ne sais pas si j'aurai le temps de finir le travail entrepris.

Mercredi
Nous avons repoussé une attaque de barbares. Il y a
eu trois morts que nous avons jetés dans le fleuve.
Certains pensent qu'ils ne reviendront pas. D'autres
si.

Vendredi
J'ai passé la journée à finir de classer la bibliothèque,
même si le grand jour est vraisemblablement en train
d'arriver nous nous devons d'être prêts, de lui laisser
une maison en ordre.

Nous nous devons de **lui** laisser une maison en
ordre...
Ils savaient que j'allais venir.
Ils savaient que j'allais venir et ils avaient mis un
point d'honneur à finir la tâche pour laquelle je les
avais missionnés, mettre en fiches la généalogie de
l'humanité, les ramifications exponentielles de l'Histoire, depuis Adam jusqu'au final, jusqu'à **moi-même**.
A moins qu'il ne s'agisse d'un leurre, d'un piège tendu
par mes détracteurs afin de me confronter à l'amère
responsabilité qu'impliquait cette création démente,
des millénaires de souffrance et de douleur agencés
minutieusement dans leur déroulement implacable, des
travaux pharaoniques aux martyres chrétiens et autres
camps de concentration, de nouveau l'angoisse atroce
m'envahissait, oui, j'étais bien Dieu, mais un Dieu
dément, pris de délire, ayant fomenté une œuvre sinistre et mégalomaniaque : la naissance de l'Univers.
J'avais retourné dans mon esprit toutes les hypothèses,
c'était la seule explication rationnelle à toute cette folie.
Le journal allait jusqu'au mois de juin, la centrale
dont il était question devait être celle d'Orléans qui,
d'après le récit que je lisais, avait effectivement fini par
exploser, un nuage radioactif et empoisonné s'était
répandu à la vitesse du vent vers l'océan, en suivant la

Loire, et les habitants du village, préservés jusqu'ici du chaos définitif par leur organisation quasi autarcique, s'étaient éparpillés comme ils avaient pu, fuyant la contamination.

Jeudi
L'explosion a été visible à plus de cent kilomètres, d'après Charles Jean il s'agit d'une catastrophe sans précédent. Nous partons immédiatement. J'espère qu'Il saura trouver le chemin et que les messages laissés à Son attention seront suffisamment clairs.

En reposant le cahier la tête me tournait, *les messages laissés à* Son *attention, j'espère qu'Il saura trouver le chemin*, d'une part il était on ne peut plus clair que j'étais dans le vrai, ma route était bien parsemée de signes occultes destinés à me conduire, à me guider vers une destination précise, et d'autre part j'avais vraisemblablement été contaminé, irradié, l'aspect désolé du paysage, les couleurs étranges du ciel et même les hallucinations abominables dont j'avais été victime trouvaient malheureusement leur explication dans les effets nocifs du nuage radioactif.

J'ai arraché mes vêtements à toute allure et je me suis précipité vers le grand miroir pour m'inspecter, apparemment je n'avais pas encore de lésions indiquant un cancer proche, dans son cadre la photo d'un homme me regardait, je n'y avais pas prêté attention jusqu'à maintenant et j'ai eu un nouveau choc en découvrant qu'il s'agissait de l'homme aperçu aux Buttes-Chaumont avec le cerf et plus tard à La Défense en train de faire son jogging, à part la coupe de cheveux et la moustache j'étais sûr que c'était lui.

Du moins pratiquement certain, il y avait plus qu'une ressemblance, la photo semblait me narguer, ondulant, provoquant des métamorphoses du visage, d'un seul coup j'étais face à un des deux Dupont, à des personnages de film, à mon boucher du dix-neuvième, le boucher, le sang et la mort, des oreilles de cochon lui poussaient de part et d'autre de la tête, un liquide rougeâtre commençait à suinter sur les bords du sous-verre et la voix qui m'accompagnait se refaisait entendre, les totems, les totems, l'île de Pâques, les géants ont des ascendances compliquées, sur l'écran de l'ordinateur défilait la succession des noms, des ramifications à n'en plus finir, j'ai arraché le portrait et je l'ai fracassé contre le bord du lit, j'avais l'impression de me complaire dans un film d'épouvante, ça suffit j'ai dit, maintenant ça suffit, on arrête.

Ça suffit, faites que tout ça cesse, par pitié.

Dehors, a crié la voix, sors de la maison, sors de la maison et tais-toi, et je n'ai eu d'autre choix qu'obéir, moi Dieu, moi le Tout-Puissant, réduit comme un enfant démuni à subir sans broncher le joug infernal d'une puissance hostile et mystérieuse, roi brisé par une rébellion incompréhensible, j'ai failli répondre non, non, je ne sortirai pas, mais j'étais déjà dehors, propulsé vers un grand hangar situé derrière l'église, la porte était lourde et massive et les gonds ont gémi, une sorte de miaulement épouvantable qui dans un autre contexte m'aurait certainement occasionné une crise cardiaque mais présentement c'était trop, j'en avais ras le bol, je n'avais plus rien à foutre de rien.

J'évoluais dans un songe caoutchouteux où les horreurs ne pouvaient plus me toucher, la grange était organisée en salle d'exposition, immaculée et blanche comme un musée, ce qui m'a confirmé dans cette impression : je rêve, ou tout du moins ma faculté de perception s'est élargie, dans la première pièce se trouvaient des tableaux parsemés de taches et il m'a fallu un certain temps avant de remarquer qu'ils étaient tous à l'envers, peints de cette façon si désagréable qu'avaient beaucoup d'artistes modernes de déstructurer jusqu'au moindre aspect de la forme, les couleurs en étaient laides, le dessin général aussi, jusqu'à la matière même de la peinture qui semblait empruntée à quelque substance organique particulièrement inélégante, je me suis frotté les yeux, j'étais en train de visiter une exposition néo-postmoderne dans un bled perdu au bord de la Loire, après une série de cataclysmes atomiques, après des mois de folie, et soudain la salle semblait se remplir, telles les apparitions maléfiques de *Shining*, et d'ailleurs n'était-ce pas ce qui m'arrivait, un envoûtement, un charme dont le lieu était le premier dépositaire, des gens surgis de nulle part s'approchaient et me parlaient, commentant les cochonneries accrochées aux murs, une coupe à la main, des mondains, des branchés, un éclairage tout à la fois violent et feutré venait baigner l'enfilade de pièces, il y avait des œuvres diverses, un fœtus dans un frigidaire et une tronçonneuse pleine de sang sous plastique, et des tableaux, toujours aussi immenses qu'abominables, lacérés de graffitis, de griffures, certains même ornés de traces de pas, l'artiste avait piétiné son travail et s'était apparemment vautré dessus, j'avais brusquement la révélation de ce qui m'avait si souvent gêné dans les entreprises picturales récentes : l'expression du chaos, la pagaille intégrale matérialisée par le brouillamini de formes et de couleurs érigé en système, comme si le nec plus ultra était un étalage de caca dégoûtant et de crotte déversé sur les murs diaphanes des galeries, comme si être laid et moche était une fin en soi, alors qu'il ne s'agissait peut-être que d'un passage, le reflet effectivement d'une charnière entre une époque et la suivante, j'en avais soudain l'intuition, cette déliquescence de l'espace et de nos références esthétiques, présage d'un lendemain autre, peut-être lumineux, ou peut-être obscur, mais en tout cas différent, l'art moderne était juste à l'image de ce vers quoi le XXᵉ siècle avait doucement glissé, la fumée des usines, le bruit, la méchanceté organisée et la folie marchande exportée aux confins de la planète, c'était aveuglant de limpidité.

– Intéressant, non ?

– Très. Il y a une vraie démarche, un univers...

Les gens déambulaient, sirotant leur champagne et clopant, clopant comme trente-six mille cheminées, manifestation d'une présence aussi réelle que tangible, un grand type m'a heurté, me faisant perdre l'équilibre, j'étais au milieu d'une armée de fantômes, d'hologrammes savamment orchestrés par les puissances invisibles pour achever de m'abattre, de faire vaciller ce qui me restait encore de santé mentale.

– Surtout cette idée de renversement, de se mettre à l'envers.

– J'aime beaucoup ses statues, aussi...

J'ai engagé la conversation avec un de mes voisins, et même si je savais sans l'ombre d'un doute qu'il s'agissait de formes sans consistance, pouvoir parler, dire quelque chose à quelqu'un, c'était comme si tout d'un coup je reprenais pied, j'en avais presque du mal à articuler, certes, l'idée est intéressante mais j'avoue que j'ai des difficultés avec ce type de peinture, le brouhaha et la fumée étaient à leur paroxysme, ah bon, vous n'aimez pas l'art contemporain ?, derrière mon interlocuteur surgissait la voisine avec qui j'avais eu des mots, celle qui s'était fait violer par les jeunes en mon absence, et puis d'autres vieux, des vieux que j'avais escroqués, et ceux qui avaient péri dans l'incendie, à Saint-Cloud, une assemblée effarante de vieillards, mes victimes, une nouvelle fois réunies dans un même souci de vengeance, tous ces revenants que j'avais déjà croisés pendant ma course délirante et qui réattaquaient, insatiables, n'ayant pas obtenu suffisamment réparation, m'obligeant à battre en retraite, c'est lui, vous le reconnaissez c'est lui, l'aigrefin, le voleur, petit escroc, ordure, dans la pièce du fond les silhouettes de plusieurs statues projetaient une ombre menaçante, d'énormes blocs de bois taillés à la hache, voire à l'aide de la tronçonneuse exposée dans son enveloppe de cellophane au début de l'expo, bêtement j'ai pensé qu'il s'agissait d'un ersatz des statues de l'île de Pâques, et puis tout s'est effacé brusquement, m'évitant vraisemblablement de subir le juste châtiment que me réservaient les vieux, j'étais devant la porte, hébété, à me demander une nouvelle fois si la perception que j'avais du monde depuis ma naissance était bien réelle ou si tout ça, comme le reste, n'était rien d'autre qu'une totale illusion.

Les statues avaient été maculées aux endroits stratégiques, à l'emplacement des organes génitaux, d'éclaboussures vermillon, nous aussi nous avons nos règles, ha, ha, et en y repensant j'y ai vu comme une indication funeste de la nature des forces qui nous entouraient, qui bordaient notre monde, peut-être la cause de tout ça, du délire, de notre folie, nous avions déplu aux géants, ils avaient soudain décidé de serrer la vis, de nous broyer, et la poussière de nos os recouvrirait bientôt cette planète morte, nous avons nos règles, ha, ha, je repensais à la voisine et aux jeunes sauvages qui l'avaient violée, à la tête de Marianne à mon retour, aux militaires sur l'esplanade de La Défense, nous avons nos règles, ha, ha, l'image des statues se superposait comme des flashs, je suis retourné dans la maison, je me suis assis derrière le bureau, j'ai rallumé l'ordinateur et je me suis mis au travail.

Il y avait une dernière tâche à accomplir pour laisser derrière nous un monde en ordre.

Michaël, fils de Priam et Odette, a lui-même eu trois enfants d'un premier mariage, Serge (1915-1972), Anne-Laure (1922-1942) et Hortense (1924-1942), Michaël et ses deux filles étaient morts en déportation, cliquer deux fois sur les noms choisis annonçait l'ordinateur, et aussitôt une myriade d'autres gens venaient s'agglutiner, au XIXe, à la Renaissance, au Moyen Age, dans l'Antiquité, une cohorte de noms prenant place sous Michaël, puis sous Anne-Laure et enfin Hortense, une liste impressionnante dont chaque incarnation semblait se manifester dans l'embrasure des fenêtres, une armada de spectres surgissant une fraction de seconde du néant avant de disparaître pour toujours, il faut effacer le programme, il faut vider la mémoire, à chaque fois que je cliquais sur la poubelle un pan entier de l'histoire de la terre achevait de se dissoudre dans la nuit.

Chaque jour était réglé comme du papier à musique, un emploi du temps calibré aux petits oignons, je dormais d'un sommeil hanté, le matin j'avais chasse au lapin, je guettais dans le champ derrière la maison l'apparition d'un innocent, que je poursuivais illico armé d'un bâton auquel j'avais adjoint une lame de couteau, au triple galop vers une sorte de nasse fabriquée avec du grillage, l'animal affolé se retrouvait acculé et je pouvais le transpercer tout mon soûl, au fur et à mesure des jours j'avais pris de l'assurance, ma technique s'était aguerrie, et petit à petit je devenais un véritable chasseur, un guerrier impeccable sur le sentier des joies de la chasse, à midi je faisais rôtir mon trophée, accompagné de pommes de terre et d'échalotes trouvées en nombre dans les caves, et puis je me remettais au travail, descendant sur mon ordinateur tous les souvenirs du monde, nom après nom, lignée après lignée, jusqu'à leur extinction complète.

J'avais fini par m'y retrouver dans le fatras des fiches et des références diverses, lorsque j'avais un doute je n'hésitais plus à consulter mes archives, fils de... x le..., † le..., si la personne était tombée au champ d'honneur il fallait surmonter la croix d'un accent circonflexe, ? voulait dire douteux, P père et M mère, un divorce se signifiait par une parenthèse inversée) (, et s. p. voulait dire sans postérité, c'était à la fois étrange et intéressant de remonter de cette façon le cours du temps pour finalement l'annihiler d'un geste si simple.

Le soir je dînais d'une soupe légère et après avoir lu quelques pages d'un livre trouvé chez un voisin, je m'endormais du même sommeil tourmenté.

[...] certains spectacles violents – tels que la tragédie, où tout gravite autour d'une crise qu'il s'agit de nouer ou de dénouer – occupent une place éminente et, semblables à ces faits privilégiés qui nous donnent l'illusion qu'ils nous découvrent à nous-mêmes en vertu de quelques affinités ou de quelques secrètes analogies, prennent, avec plus d'intensité peut-être que tous les autres, l'allure d'expériences cruciales ou de révélations [...].

Dans mes songes un éléphant venait à moi, du fond de l'écran, et essayait de me piétiner. Quant aux révélations elles auraient dû, au vu des épreuves que j'avais traversées, fuser tous azimuts depuis un bon moment, hormis ma divinité soudainement avouée et à laquelle j'avais, reconnaissons-le, de plus en plus de mal à adhérer, on pouvait dire que le reste brillait par son absence, peau de balle, voilà ce qu'avait récolté le malheureux jusqu'à présent, peau de balle et la douleur et la misère en prime !

[...] l'on observe des rites, des jeux, des fêtes servant de naturel exutoire aux mouvements de l'affectivité et grâce auxquels les hommes peuvent s'imaginer, au moins durant un temps, avoir signé un pacte avec le monde et s'être retrouvés avec eux-mêmes [...].

Oui, le malheureux glissait sur une espèce de peau de banane et l'éléphant le piétinait, mais aucune illumination n'était malheureusement au rendez-vous, il se réveillait, *Miroir de la tauromachie* tout corné dans les plis des draps et une nouvelle journée en perspective qui l'attendait, seul et abandonné, à faire les comptes un par un de qui avait été, était et ne serait plus sur cette terre.

J'étais comme dédoublé, absent à moi-même, contemplant hébété les soubresauts des montagnes russes, *le destin guide celui qui l'accepte et traîne celui qui le refuse*, j'avais trouvé cette citation en exergue d'un des recueils d'arbres généalogiques et je n'aurais même pas su dire si je faisais partie de la première ou de la deuxième catégorie, ballotté d'une rive à l'autre par de sournois remous dans lesquels j'avais toutes les peines du monde à ne pas sombrer ; la seule chose qui m'importait encore était chaque matin d'arriver à mettre un pied devant l'autre, sans d'ailleurs vraiment trouver de bonne raison de le faire, si ce n'est ce sentiment stupide qu'il y avait cette tâche à finir avant de pouvoir prétendre enfin au repos et à la dissolution éternels.

Parfois je descendais au sous-sol de la maison, dans l'immense cave à vins, et je restais immobile, dans un noir complet et dans la même atmosphère hallucinatoire que lors de mes pérégrinations souterraines sous Notre-Dame, sauf que cette fois mes visions étaient d'un autre ordre, j'étais projeté dans une fantasmagorie romanesque et colorée, un jeu de rôle sans fin où j'endossais tour à tour des personnages multiples, un grand prêtre assoiffé de pouvoir officiant dans un entrelacs de pyramides étranges, une jeune fille prête à être livrée en sacrifice, les aides du bourreau et le bourreau lui-même, chaque histoire était le prétexte à un éparpillement de ce que je pensais être mon identité qui d'un coup m'apparaissait morcelée, divisée à l'infini en de minuscules sous-ensembles, tous plus rocambolesques les uns que les autres, ayant une vie propre mais m'appartenant quand même, des milliers de petits points lumineux éparpillés dans la masse gigantesque de l'univers, une fontaine, un geyser brillant qui s'échappait doucement de mon enveloppe charnelle, j'étais à la fois le prêtre, la jeune fille sacrifiée et les bourreaux, l'ombre de la pyramide devenait transparente, j'avais la sensation de passer derrière la barrière des étoiles et de la nuit dans un sentiment d'une douceur et d'une pureté magnifiques, et puis la séance s'arrêtait et je remontais un peu étourdi à l'étage poursuivre mon labeur.

Il y avait le vide, bien sûr, la solitude et toute cette angoisse effrayante générée par cette situation apocalyptique mais un matin je me suis rendu compte un peu niaisement que si j'étais bel et bien le dernier homme de cette planète ça voulait dire aussi qu'il n'y avait plus de femme et cette triste constatation m'a brusquement empli d'une nostalgie sans bornes, j'avais beau me concentrer sur mon ordinateur – j'avais confusément l'idée de terminer mes opérations généalogiques et de me suicider ensuite –, mes rêveries se tournaient inlassablement vers des images on ne peut plus précises, des nichons, des poils, les courbes de fesses et une odeur douce et enivrante, je me laissais aller à imaginer la Dernière Femme rencontrant le Dernier Homme, et la séance de délire qui s'ensuivait, en général je terminais cette intense cogitation en allant me branler sauvagement dans la cour, joignant à mon agitation des imprécations furieuses contre le silence et le souffle léger du vent, je vous encule salopards, je vous encule et tout ce que je vis aujourd'hui vous le paierez un jour, ma semence se répandait sur les pavés disjoints mais aucune mandragore n'apparaissait, mon émoi restait stérile.

C'est au cours de ce petit exercice que survint l'événement qui allait une nouvelle fois modifier le déroulement de ma solitaire existence. J'avais depuis quelque temps remarqué des traces de sabots autour de la maison et une nuit le fracas d'une cavalcade était, ou en tout cas c'est ce qu'il m'avait semblé, venu troubler la quiétude de mon sommeil tourmenté. Cet après-midi-là, je venais juste de finir mes ablutions rituelles, douche glacée puis branlette, suivies d'imprécations, quand un bruit m'a fait tourner la tête, un reniflement puissant, accompagné de grattements, dans l'enfilade menant à la place un taureau énorme, un monstre, me fixait d'un regard furibond, les naseaux frémissants et prêt visiblement à me foncer dessus.

[...] analysé sous l'angle des relations qu'il présente, notamment, avec l'activité érotique, l'art tauromachique revêtira, on peut le présumer, l'aspect d'un de ces faits révélateurs qui nous éclairent sur certaines parties obscures de nous-mêmes dans la mesure où ils agissent par une sorte de sympathie ou ressemblance, et dont la puissance émotive tient à ce qu'ils sont les miroirs qui recèlent, objectivée déjà et comme préfigurée, l'image même de notre émotion [...].

J'ai juste eu le temps de ranger ma bite et de me précipiter à l'intérieur, la bête me chargeait à trois cent mille à l'heure.

Il y avait un taureau sanguinaire, une bête de combat, lâchée dans les rues du village.

Un Murio. Un fauve.

Faisant peser sur ma vie une menace permanente, sournoise.

J'ai senti le coup sourd des cornes ébranler la porte.

Me guettant peut-être depuis le début, attendant son heure.

Va-t'en j'ai crié, pssscchh, fous le camp d'ici.

Manifestant par sa présence le poids du châtiment qui m'attendait, l'écartèlement, le piétinement atroce destiné aux traîtres, aux renégats et aux parias.

Il a fini par décamper, gros salopard assoiffé de violence prêt à ne faire qu'une bouchée de sa victime. Cette apparition bien sûr terrifiante avait au moins le mérite de me confronter avec un être vivant un peu plus consistant que les lapins, corneilles et autres oiseaux de mauvais augure qu'on voyait tourner au-dessus du village. Dorénavant je devais redoubler de vigilance, me tenir prêt en permanence au pire, j'avais cru naïvement que le classement fastidieux de mes fantômes informatisés allait clôturer mon lot d'épreuves, force m'était de constater qu'il n'en était rien, si un retour triomphant dans un Olympe perdu était réellement au bout de ma route le moins que l'on pouvait dire c'est que je ne l'aurais pas volé.

En m'endormant le soir dans mon refuge désormais assiégé je me suis fait la réflexion qu'avec tout ce que j'avais traversé depuis un an je tenais sacrément bien le choc.

Tu tiens bien le choc mon pote.

J'aurais dû déclarer forfait depuis un sacré bout de temps. N'importe qui l'aurait fait. Aurait craqué, aurait démissionné. Et moi non. J'étais toujours là, prêt à affronter l'épreuve suivante, tel un candidat nigaud de ces jeux télévisés où l'on vous inflige moult crétineries semi-sportives, sous les vivats d'un public ravi, ouarf-ouarf le con, regarde, c'est sûr qu'il va se péter la gueule.

Une fois de plus les solutions qui m'étaient proposées n'étaient pas multiples, je devais tuer le taureau, le tuer de mes mains et lui faire rendre gorge, que la bête meure et qu'un sang bouillonnant abreuve le sol de son torrent d'éclaboussures réparateur.

Affiner une stratégie efficace et mettre au point le piège fatal capable de venir à bout du mastodonte m'accapara une semaine entière. J'avais provisoirement délaissé mon travail de scribe pour cette nouvelle activité : exterminer le taureau. J'étais possédé par une haine terrible, affreuse, une haine et une rancœur que je n'aurais pas soupçonnées, j'avais envie de le tuer, de l'écrabouiller pour tout ce que j'avais subi, la peur, la douleur, la mort de Marianne et de l'enfant et ce gouffre abominable qui s'ouvrait sous mes pieds à chaque pas, ma mâchoire se crispait douloureusement pendant que je visualisais le moment où l'acier de mon pieu s'enfoncerait dans la masse de muscles, tuer, voir du sang, faire mal à cette grosse ordure, qu'il souffre et agonise et que je l'achève enfin.

J'avais profité d'une fosse existante sur le terrain jouxtant la maison pour organiser un stratagème archaïque de trou camouflé, agrémenté de pointes de bois, renouant ainsi avec une tradition ancestrale de chasseurs de mammouths, j'avais dû cimenter un côté, agrandir l'excavation et délimiter une sorte de couloir avec des barbelés pour que ma victime n'ait d'autre choix que de se précipiter tête baissée sur ce qu'elle allait à tort considérer comme une partie jouée d'avance : l'anéantissement d'un pauvre bougre au bout du rouleau, erreur mon ami, grossière erreur que vous allez payer de votre vie, je parlais tout seul, ricanant sous cape, je vais t'en mettre plein la tête mon salaud, je vais te déchirer la panse de mes épées affûtées et pointues, tu vas crever doucement et je pisserai sur tes naseaux frémissants avant que tu n'exhales ton dernier soupir, j'avais barricadé l'accès au champ pour ne pas risquer une attaque surprise, la grosse bourrique était venue me rendre visite deux fois, essayant de forcer la clôture qui, Dieu merci, avait résisté aux assauts, ne t'inquiète donc pas mon chéri, je serai bientôt tout à toi. Pour la première fois depuis longtemps, peut-être en raison de l'exercice physique, peut-être pour une cause autre qui m'échappait, ma tête à peine posée sur l'oreiller, je glissai, l'âme apaisée, dans un sommeil profond parsemé de rêves agréables et doux jusqu'au lendemain.

Le combat eut finalement lieu quelques jours plus tard, mon piège achevé j'avais attendu, calme et fébrile, que l'adversaire daigne se manifester, les barbelés étaient enlevés et la fosse disparaissait sous un astucieux camouflage de mottes de terre et d'herbes. Un trapèze bricolé au-dessus complétait la machinerie diabolique, lorsque le bovin furieux me chargerait je n'aurais plus qu'à me suspendre à mon arceau pendant qu'entraîné par son poids le misérable s'enfoncerait dans sa tombe.

Je n'étais pas peu fier de mon ingéniosité.

C'était risqué, certes, mais tout à mon honneur, la bête avait sa chance, je pouvais très bien louper mon coup, rater le trapèze et me faire encorner bêtement, et dans ce cas, ma foi, nul alors n'aurait pu me sauver.

La première journée, aucune manifestation hostile de l'animal.

La deuxième non plus.

Tu joues la guerre des nerfs mon salaud.

J'en étais à spéculer sur l'éventuelle disparition du scélérat quand un bruissement m'a fait sursauter, perdu dans mes songes que j'étais, j'ai juste eu le temps de battre en retraite et de me positionner devant la fosse, mon épée bricolée avec la lame d'une tondeuse arrimée solidement à ma ceinture, l'ouragan fonçait sur moi.

[...] de la tauromachie, qui nous offrait l'exemple d'un art tragique où tout repose sur un gauchissement et sur la possibilité matérielle d'une blessure, nous sommes venus à l'érotisme, où tout se passe au cœur même d'une semblable blessure, si tant est que nulle part avec autant d'éclat que dans l'acte d'amour ne se manifeste le rôle capital d'une certaine plénitude déchirante [...].

J'avais pris garde à ne pas dilapider ma précieuse énergie dans de vaines masturbations, j'étais prêt, l'esprit totalement lucide et clair et le corps reposé, et pourtant la violence qui arrivait sur moi à la vitesse d'une locomotive en furie m'a balayé sans que j'aie pu ne serait-ce qu'esquisser un geste, je me suis senti voler dans les airs, culbuté par des tonnes et des tonnes de méchanceté et de rage à l'état pur, ma main droite a quand même réussi à saisir je ne sais pas comment la barre du trapèze, pendant que le corps du rhinocéros se fracassait dans le trou, j'ai fait une tentative ultime pour attraper la barre de mon autre main mais le truc s'est entortillé et j'ai chu lamentablement vers un écrabouillement inéluctable, une comptine bizarre me traversant l'esprit pendant que je tombais, *dans la troupe il n'y a pas de jambe de bois/il y a des nouilles mais ça ne se voit pas/la meilleure façon de marcher c'est encore la nôtre/c'est de mettre un pied devant l'autre et de recommencer*, ajouté à l'image du joggeur de La Défense courant comme un dératé, le tableau bizarre dans la chambre face à l'ordinateur et le cerf et la licorne, le taureau avait dû s'empaler de tout son poids parce que je l'ai entendu mugir atrocement, j'ai rebondi sur la masse de chair, en essayant désespérément de me raccrocher au bord de la fosse mais tout ce que j'ai réussi à faire c'est de me retrouver à califourchon sur son dos, le brontosaure donnait des coups de tête comme un forcené, ma jambe droite s'est retrouvée coincée entre le corps et la paroi et la douleur m'a transpercé sur place, *il y a des nouilles mais ça ne se voit pas*, la vision d'une couverture d'un premier album de Lucky Luke s'est matérialisée devant mes yeux, *Rodéo*, quand Lucky Luke était encore tout maigre et mal dessiné, n'auraient été les sensations physiques et l'odeur et la force de l'animal beuglant comme un lion dans sa nasse j'aurais encore une fois volontiers opté pour un rêve, une réalité virtuelle soudainement fomentée par les influences invisibles qui m'environnaient dans un souci de déstabilisation, mais un coup de cornes sauvages m'a ramené à une appréhension plus tangible des choses.

J'ai réussi à dégager mon sabre et le carnage a commencé.

Il avait dû s'entortiller entre les pals affûtés et maintenant souffrir un martyre, chaque mouvement devait le torturer un peu plus et mon premier coup n'a somme toute eu d'autre effet que de le distraire des affres qui devaient l'habiter, prends-toi déjà ça mon petit cochon, j'avais entouré le bout de l'hélice de tondeuse d'un gros chiffon caoutchouté et la lame de mon arme était plus tranchante qu'un rasoir, les oreilles, les oreilles et la queue, j'ai découpé aussi un bout des naseaux, il ruait tout ce qu'il pouvait, j'ai crevé ses yeux en hurlant, j'étais couvert de sang, écumant, frappant aveuglément de plus en plus fort pendant un temps qui m'a paru infini, à en avoir mal au bras, sans malgré tout parvenir à entamer la vigueur du démon qui continuait à gigoter, à essayer de se débarrasser du triste parasite qui avait pris possession de lui, quand j'ai commencé à couper la jugulaire il bougeait encore, meurs créature des enfers, au moment de trépasser il a eu un sursaut insensé, arrivant à s'extraire et à agiter ses grosses pattes de succube sur l'herbe barbouillée de sang, je l'ai achevé d'un dernier zigzag de mon cimeterre fatal, j'avais la jambe en bouillie, un doigt cassé et les mains à vif d'avoir serré si fort le manche de ma baïonnette, mais somme toute je ne m'en tirais pas si mal que ça.

T'es mort pédé.

T'es mort et c'est moi qui t'ai tué.

Et par cet acte hautement symbolique il me semblait que c'était tout un tas de maléfices qui disparaissaient dans les brumes du néant.

J'avais tué la Bête.

Impeccablement.

Comme un guerrier confronté à l'impossible et l'ayant surmonté.

J'ai fait un signe de croix en m'agenouillant à côté de la dépouille encore fumante de mon digne adversaire et je me suis tranché un steak dans son flanc sanguinolent.

Il faut un gagnant et un perdant mon ami, c'est la règle du jeu.

Je suis rentré me préparer à dîner, mon rosbif à la main, en sabrant l'air de mon yatagan. J'étais un King, je n'avais peur de personne et dorénavant il allait falloir compter avec moi, que vous le vouliez ou non et qui que vous soyez bande d'ordures je ne suis pas encore près de baisser les bras, faites-moi confiance là-dessus.

Je suis un King, j'ai répété, encore tout tremblant de ma performance, je suis un King et je vous emmerde.

J'étais regonflé à bloc, prêt à affronter l'avenir quelle que soit la forme qu'il prendrait, seulement le lendemain matin en retournant inspecter le champ de bataille il n'y avait plus trace de taureau, le cadavre avait disparu et à la place de la fosse on distinguait un vague trou, même pas suffisant pour y enterrer un chien, pas la moindre trace de lutte, encore moins de sang, ce qui en une seconde a suffi pour me plonger dans un désarroi complet, une panique affreuse, j'avais sombré dans la folie, j'étais dans un hôpital psychiatrique, Marianne m'avait fait enfermer, et ma vision du monde n'était plus depuis de longs mois qu'un délire sans fin généré par un salmigondis de fantasmes morbides, l'apocalypse, la mort de mes proches, une fuite en avant dans un isolement sans espoir de retour, je n'étais même plus capable de percevoir la réalité telle qu'elle était.

C'était à se taper la tête contre les murs.

C'était une angoisse au-delà du supportable.

– Marianne, j'ai crié, Marianne tu es là, il y a quelqu'un autour de moi ?

J'étais peut-être prostré, au fin fond d'un service, dans un hôpital de la grande couronne, abandonné par mes proches et entouré de débiles et de fous.

Et je ne voyais qu'un film en trois dimensions alimenté par mes hallucinations dégénérées.

Dans la salle à manger il y avait une corde, que je n'avais pas remarquée jusque-là, je l'ai contemplée calmement et après m'en être saisi je suis sorti, l'attacher au portail n'a pas été très compliqué, toute cette mascarade n'avait donc d'autre but que de provoquer mon anéantissement, et si je ne vivais plus que dans un long fantasme macabre, ma mort virtuelle aurait-elle une transposition dans cette réalité qui selon toute vraisemblance m'échappait totalement aujourd'hui ? J'ai imaginé Marianne recevant le coup de téléphone, oui, il est décédé, un arrêt du cœur, cela s'est passé cette nuit, non aucune raison particulière, il n'était pas spécialement agité en ce moment, en tout cas pas plus que d'habitude, l'air compassé du personnel hospitalier, le laïus de circonstance du médecin psychiatre et l'enterrement, enfin, sinistre, dans un petit cimetière de banlieue.

Mon âme volerait-elle alors vers des cieux plus cléments, il m'était permis d'en douter, je me voyais fort bien atterrir en enfer, rôtir des siècles, avec le bol que j'avais en ce moment, gros comme une maison que c'était ce qui m'attendait.

La corde était humide, râpeuse, je sentais les aspérités du chanvre m'irriter le cou. A la réflexion ce n'était pas du tout une bonne solution de mettre fin à mes jours, tout virtuels qu'ils étaient.

D'autant plus que je ne pouvais pas exclure qu'il s'agisse d'une manœuvre ultime de mes adversaires de l'Olympe pour éradiquer un concurrent gênant. Ceci évidemment dans l'hypothèse où je n'étais pas cinglé mais Zeus.

– Il y a quelqu'un ? a crié une voix, quelqu'un est encore vivant dans ce village ?

Et c'était une voix de femme.

Une voix de femme.

Je me suis dégagé de mon nœud coulant, un groupe étrange d'individus aux crânes rasés se dirigeaient vers moi, enrobés dans des espèces de toges blanches, des draps flottant aux vents, ne bougez pas a redit la voix, nous sommes armées, c'étaient des femmes, une dizaine de femmes, avec des arcs, ou des arbalètes qu'elles pointaient dans ma direction, je devais avoir l'air complètement effaré parce que celle qui m'avait apostrophé m'a prié de descendre, en m'assurant que personne n'avait l'intention de me faire du mal, ce qui a fait glousser les autres, du mal certainement pas, ouh, ouh, ce serait plutôt l'inverse. J'ai donc obtempéré, remettant provisoirement mon suicide à plus tard.

– Avance, a commandé la chef, avance et pas un geste.

On aurait dit des Touaregs, ou des apparitions de tragédie grecque. J'ai remarqué qu'elles étaient à poil sous leurs tentures et cette constatation m'a immédiatement plongé en transe. Des femmes. A poil. Pratiquement nues sous des draps. Il y en avait des vieilles et des toutes pourries mais certaines étaient pas mal. Franchement pas mal. J'avais une trique d'enfer.

Une grosse m'a lié les mains derrière le dos, nous sommes rentrés dans la maison, qu'elles ont fouillée de fond en comble, à l'étage l'ordinateur était allumé et quand la chef s'en est approchée les graphiques se sont mis à défiler, comme si le programme s'emballait, que tout devenait fou, et des craquements bizarres se sont fait entendre, provoquant chez mes assaillantes un mouvement de recul et de méfiance vis-à-vis de moi, la maison est hantée ai-je dit, je n'y suis pour rien, la maison est vivante, si bien que c'est pas trop rassurée que la petite troupe a fichu le camp, moi leur prisonnier à leur suite, après avoir pillé ce qui présentait un intérêt, quelques conserves restantes et des médicaments. A la sortie du village la femme qui me tenait ligoté a déclamé un poème :

Victoria a peur du noir
De son reflet dans les miroirs.

Les forêts sombres de son enfance
Les farfadets, les épouvantes
L'ont envoûtée à tout jamais.

136

Ensorcelée par ses cauchemars, Victoria a peur du noir.

Un prince charmant, un imposteur, Lui a volé un soir d'été
Son petit cœur sanguinolent.

D'un sortilège il a brisé
Ses rêves d'amour, ses fiancés.

et la manière dont elle le disait, associée à l'impression un peu cotonneuse qui s'emparait de moi d'être comme ça enchaîné à ce troupeau de femmes à demi vêtues, tout cela m'a plongé dans un ravissement émerveillé.

Depuis mon arrivée dans le village je n'avais jamais eu la curiosité de pousser plus avant mes investigations, d'aller voir plus loin, malgré les pancartes indiquant la proximité des bords de Loire, soit que la maison ait exercé une attraction trop présente, ou peut-être que le souvenir du lit de la Seine asséché m'ait suffi, pas la peine de s'occasionner un nouveau traumatisme, le fait que les fleuves ne coulent plus était certainement une des pires manifestations du mal, l'indication patente que le sens des choses s'était interrompu, que nous avions raté le dernier départ et que jamais nous ne rejoindrions les havres, ainsi lorsque tiré par mes geôlières j'ai débouché sur un petit promontoire surplombant un océan boueux déferlant à travers des bosquets d'arbres à moitié arrachés et des îlots de sable je n'ai pu m'empêcher de ressentir comme un soulagement, le vague espoir que tout n'était peut-être pas cuit, pas définitif en tout cas, il y avait des barques attachées et d'autres femmes qui nous attendaient. Pour la première fois depuis longtemps j'ai trouvé qu'on percevait dans l'air une certaine clémence, en tout cas que l'hostilité latente qui flottait autour de nous depuis le début du cataclysme avait, pour un moment du moins, fait une pause.

– Qui le prend ? a demandé la chef, il va dans notre barque ou quelqu'un d'autre veut commencer ?

Une des fantômes a ricané, une autre a gloussé, du moment que tu nous en laisses Gladys, hi, hi, du moment que tu fais tourner après, me ramenant soudain à ma situation incongrue, j'étais prisonnier et manifestement on en voulait à ma personne.

J'ai grimpé dans la première embarcation, toujours attaché à ma gardienne, celle derrière moi a largué les amarres et le festival a commencé, la dénommée Gladys m'a libéré une main, avant de me rouler une pelle comme une furieuse et de me dégrafer la fermeture de mon pantalon, lançant ainsi le signal du début de l'orgie, de l'orgie aquatique, j'étais dépouillé de mes vêtements, mes beaux habits récupérés dans les placards de la maison hantée et les trois démones autour de moi en un clin d'œil m'aspiraient de tous côtés, me boutiquaient dans tous les sens, me renversant et m'astiquant, provoquant un début de panique mêlé à une excitation terrible, ça va il bande a dit une de mes nouvelles amies, il est bien dur, je me suis fait sucer par les trois l'une après l'autre et ensuite j'ai dû leur rendre la pareille, depuis les barques qui nous entouraient j'apercevais comme une succession de flashs déments, le troupeau des harpies dans les positions les plus incongrues, en train de se caresser ou de se faire branler par leur voisine, j'ai senti qu'on m'enfonçait un doigt dans le cul et la chef, celle qui s'appelait Gladys, m'a forcé à la pénétrer.

J'étais démultiplié en ayant la sensation physique d'être ailleurs.

– Je te conseille de te retenir, si jamais tu débandes elles sont capables de te tuer.

Je marchais sur un sol caillouteux en me faisant en

138

moi-même la réflexion que la fin de la route n'existait pas.

Son chuchotement m'a fait redoubler d'ardeur, des applaudissements crépitaient depuis les autres barques, des folles, j'étais tombé sur un groupe de folles assoiffées de sexe et prêtes à tout pour assouvir leurs besoins, c'est ce que me disait la voix à l'intérieur de moi, regarde, regarde mais quelle horreur, comment peut-on se vautrer dans la fange à ce point, même avec la fin du monde, même avec l'apocalypse, une vieille édentée nous prenait d'assaut, écartait Gladys et me présentait ses cuisses béantes et malgré tout je continuais à bander, comme un malade, comme un damné, et je la pénétrais aussi, et puis la grosse à côté, et puis d'autres, et d'autres encore, fouillant de ma main libre une petite mamie décharnée, mordillant les seins d'une rouquine, me démenant sans compter pour les satisfaire, je vais vous baiser salopes, je vais vous donner ce que vous voulez et vous allez en avoir pour votre argent, un court instant je me suis vu, moi, entrant dans une petite église de Sologne, des rais de lumière traversaient la nef et je me prosternais, ému et respectueux, devant une statuette de la Vierge, je vais vous défoncer bande de putes, je vais tellement vous satisfaire qu'ensuite vous n'aurez d'autre solution que de m'adorer comme un dieu.

Et l'Eternel dit : Le cri contre Sodome et Gomorrhe s'est accru et leur péché est énorme.

Je rencontrais mon double et ce face-à-face ne m'effrayait pas.

La vision saugrenue du taureau est venue se superposer à celle de la Vierge, comme si la puissance et les pouvoirs secrets de la Terre elle-même m'étaient soudain apparus avec, le fleuve autour de nous et moi en train de les baiser, le sens secret de mon combat se révélait soudainement, j'étais possédé, j'avais capturé l'âme de l'animal, j'avais aspiré la moelle de sa force, plus vite hurlait ma nouvelle partenaire, accélère, mon pieu n'était plus que le prolongement d'une vitalité démoniaque, une vitalité quasi divine, surnaturelle, le signe éclatant que je n'étais peut-être pas si éloigné que ça d'une filiation avec le ciel, j'ai enclenché la vitesse supérieure et elle a hurlé sauvagement, avant d'être à son tour remplacée par une autre, quand la dernière s'est déprise de mon étreinte fatale j'étais à peine fatigué et je bandais encore.

Franchement je me serais bien attendu à une petite reconnaissance de leur part, à une gratitude, mais au lieu de ça elles se sont affalées dans leurs barques respectives, nous nous sommes échoués doucement sur un banc de sable parsemé d'arbres rabougris et toute cette gentille petite assemblée s'est mise à roupiller comme des bienheureuses, je suis resté seul, avec ma main attachée par le petit cadenas qu'on m'avait passé, à contempler le clair de lune et à savourer ma puissance qui semblait ne pas vouloir fléchir, vers le milieu de la nuit Gladys s'est réveillée et je l'ai reprise encore plus violemment que la première fois, puis, cette tâche accomplie, comme ni elle ni moi visiblement n'avions envie de dormir, j'ai pu la questionner tout mon soûl, avait-elle également subi la fin du monde ? tout cela était-il bien réel ou était-ce moi qui délirais, parti dans une folie sans retour ? et si nous étions en train de vivre l'apocalypse que fabriquait-elle ici, avec des vieilles et des semi-débiles, sur des barques, au milieu de la Loire, à poil sous des toges de fortune ? et à la fin, avant qu'elle ne se mette à donner toutes les explications sur les causes et les raisons de ce mystère j'ai fini par me lancer et demander si par hasard elle n'aurait pas l'impression parfois que tout ce qu'on voyait, la réalité, la vie, n'était qu'une sorte d'illusion, de rêve qu'on inventait soi-même, et que cette série de catastrophes ne serait donc pas autre chose qu'une chimère supplémentaire et en posant ma question je la scrutais, attentif, en me disant que si c'était bien ce que je pensais, un complot, alors elle aurait au minimum un cillement, un geste qui la trahirait, qui indiquerait sans doute possible qu'elle aussi faisait partie de la bande, mais elle s'est juste contentée de fixer le courant en grognant si c'est une illusion on peut dire qu'elle est communément partagée, sans que son visage exprime la moindre faille, le moindre pincement, et d'ailleurs elle a aussitôt embrayé sur ses déboires depuis le début de la crise, elle travaillait dans une maison de repos comme éducatrice spécialisée et la tourmente les avait fauchées, elle et ses pensionnaires, de plein fouet, après avoir réussi à survivre plusieurs mois grâce aux stocks accumulés dans les réserves du château où elles se trouvaient, des pillards étaient venus et elles avaient dû fuir, certaines étaient mortes, tuées, et d'autres, comme beaucoup devant ce choc inattendu du sort, avaient succombé de chagrin, d'effroi ou de maladie, elles avaient fini par trouver des embarcations et s'étaient jetées au fil de l'eau, sur ces barques, nues et entortillées dans des draps récupérés dans leur institution après que les pillards eurent volé les vêtements, remettant leurs vies entre les mains de Dieu, et espérant confusément qu'en arrivant à l'océan leurs tourments, d'une manière ou d'une autre, prendraient fin.

Elles avaient rencontré des animaux surnaturels.

Des monstres.

Elles avaient traversé des contrées hostiles, le monde avait paru se désagréger et la terre s'ouvrir sous leurs pieds.

Elles avaient assisté à l'explosion de la Centrale et le nuage en avait brûlé certaines et épargné les autres.

Des êtres à demi fous, presque carbonisés, fondus, rendus cinglés par les radiations et les vapeurs toxiques les avaient poursuivies des jours durant ; hurlant depuis les rives des imprécations horribles en se masturbant.

Tous ceux qu'elles croisaient étaient toujours des hommes, aucune femme, et Gladys en avait conclu qu'elles étaient peut-être les seules restantes, la dernière chance de la race humaine.

Celles que le nuage avait touchées étaient mortes et les autres avaient décidé de continuer, de se mettre en quête d'un géniteur.

Un géniteur.

Quelqu'un d'apparence saine capable de féconder les femmes susceptibles d'être encore mères.

Celle qui déclamait les poésies avait rêvé d'un village désert où les attendait un signe, où la divinité les envoyait.

Le jour se levait, on avait l'impression, avec les arbres courbés sur le passage du fleuve et les flots grisâtres, d'un paysage en noir et blanc, des corps crucifiés sur ce qui avait été des poteaux téléphoniques flottaient au vent, pendus, cloués, des lambeaux de chair pourrissant sur leurs squelettes nus, un peu de brume montait du fleuve et le soleil n'avait pas encore fait son apparition, plus que jamais j'ai ressenti l'inutilité de notre présence au monde, la vacuité totale qui déteignait sur l'ensemble de nos existences, que l'on meure ou pas, ou même que la race humaine disparaisse, quelle importance ma foi, Gladys a recommencé à me sucer et j'ai dû la rebaiser, la troupe commençait à se réveiller, je n'avais pas dormi de la nuit et visiblement j'avais encore une rude journée devant moi, l'idée m'a traversé de me jeter à l'eau et d'essayer de me sauver, mais où aller et que faire ? d'autant qu'elles n'auraient pas hésité à m'occire sauvagement à l'aide de leurs arquebuses et de leurs flèches, et puis de toute façon j'étais aussi bien là, étalon de fortune sur un convoi flottant doucement en direction du néant, une fois rassasiée Gladys s'est écartée et la sarabande a recommencé, rythmée par les chants de la folle.

Victoria pense à la mort
A des naufrages, des catastrophes,
A des massacres, sans remords.

Elle imagine des geôles étranges
Où des candélabres illuminent
D'une lumière pâle et flamboyante
Le visage triste de ses victimes.

Elle entend les cris terribles
De ces amants défigurés
Errant, fantomatiques et nus,
Vers d'hermétiques sarcophages.

Certains cadavres étaient pendus à un crochet qui leur traversait le torse, comme si un boucher géant les avait stockés dans l'attente du grand festin, de voir cette image de la mort si proche, nous n'étions sur notre petit banc de sable qu'à une dizaine de mètres du rivage, leur frénésie sexuelle a redoublé d'ardeur.

Les forêts sombres de son enfance
Les farfadets, les épouvantes
L'ont enchaînée à tout jamais.

Victoria pense à la mort
Au vent du nord, aux mauvais sorts.

Elle marche, courbée dans la tourmente
Hantée par d'innombrables spectres
Que lui distille comme un venin
Le tombeau blême de sa mémoire.

Victoria pense à la mort
Et puis doucement elle s'endort.

La folle avait une odeur sucrée, ses seins étaient encore fermes et j'ai accéléré mes coups de reins, encouragé par les hourras des filles qui s'étaient remises à applaudir en cadence.

143

De nouveau la Vierge s'avançait à ma rencontre, nous étions tous les deux perchés sur la Grande Muraille de Chine, là encore environnés d'une sorte de brume, et elle me fixait sans un mot, son regard n'exprimait ni douceur particulière, ni reproche, il y avait un instant où l'air, l'atmosphère et le temps semblaient s'équilibrer, trouver le point exact où les forces contraires en mouvement s'annulent, et puis les cris des demeurées ont repris le dessus, pistonne-la, vas-y, défonce-lui la chatte, ahahahahahahahahaha, mon poignet enchaîné me faisait mal, le cadenas m'entaillait la peau et il me prenait la réflexion qu'il n'y avait peut-être plus une seule partie de moi-même encore semblable à ce que j'étais douze mois auparavant.

Sur le bord, des gens ont surgi en braillant, en nous apostrophant, j'avais cru être le dernier survivant, apparemment il n'en était rien, nous étions encore nombreux, un des protagonistes a plongé, la maigreur de son visage lui conférait une sorte de gravité épouvantée, ne t'arrête pas me disait la folle, baise-moi, continue à me baiser, telle une armée parfaitement au point Gladys et ses acolytes ont pointé leurs arbalètes et plusieurs traits ont fendu l'air en direction du mutant, lui explosant la tête illico, ses copains gesticulaient leur effroi, le pauvre blessé a disparu emporté par le courant pendant que les tueuses récupéraient leurs flèches en tirant sur un fil, comme d'anodines ménagères rembobinant sagement leur tricot, on a largué les amarres et notre convoi fluvial a repris sa route, à moi disait une vieille, maintenant c'est à moi, j'ai assez attendu, j'y ai droit autant que vous, c'est pas normal que je sois toujours la dernière.

– Du calme, j'ai fait, maintenant du calme ou sinon je vais pas y arriver.

J'avais mal partout, comme si on m'avait broyé, aspiré et usé jusqu'à la corde, ce qui dans un certain sens était le cas, une des salopes a dit s'il est plus bon à rien, on n'a qu'à le tuer, on n'a qu'à le tirer comme les autres, mais Gladys s'est interposée, je regardais la scène d'un air distrait, presque absent, après tout qu'elles m'achèvent ne serait que l'accomplissement de quelque chose qui aurait dû avoir lieu depuis long-temps, et de toute façon je n'en avais plus rien à foutre, mourir après avoir baisé un car entier de foldingues, sur la Loire, dans la chaleur de l'été finissant, je crois que j'aurais pu peindre la scène avec enthousiasme, l'orgie d'abord, et puis la mise à mort. Je ne suis pas d'accord a redit Gladys, c'est le premier qu'on a qui n'a pas l'air d'un taré, pour le moment on le garde, et celle qui était dans la barque d'à côté, qui arborait une tête de mongolienne dernier degré et qui passait son temps à se moucher dans ses doigts, a approuvé en grognant, Adys a raison, hon, hon, elle avait des yeux tout vitreux, des yeux de poisson, et d'ailleurs on l'aurait très bien vue dans une présentation de la pla-nète aquatique, la métamorphose de la race en batra-ciens et poiscailles divers.

Adys a raison, hon, hon, il nous a baisées, on peut le garder. Je me suis demandé si c'était déjà le délire à l'asile ou si c'était juste le fait que, les digues de la civilisation ayant définitivement craqué, tous les ver-rous sautent d'un seul coup.

La vérité devait probablement se trouver entre les deux, elles avaient déjà certainement au départ des dis-positions que le nouveau contexte n'avait fait qu'exa-cerber.

– Dans ce cas faut pas qu'il se retienne, s'il se retient on n'aura pas de bébé.

Une voix a murmuré doucement à l'intérieur de moi, un chuchotement familier et déjà entendu, je me suis revu chez les vieux, dans les caves, l'image des deux goules dans l'église est venue chevaucher le souvenir de l'effroi ressenti pendant le cambriolage, quand j'avais cru avoir capté une force, un diable, tu es d'accord pour qu'on ait un enfant ? disait Marianne, tu es d'accord pour qu'on le garde ?, et la réponse que je lui avait faite, o. k., c'est o. k. et puis plus tard le cadavre, le cadavre de l'enfant mort, nous sommes avec toi me murmurait la présence, accepte, dis que tu vas les satisfaire, dis que tu vas les combler, et l'idée affreuse m'est venue qu'un ectoplasme, un démon, m'avait cette nuit-là envoûté et dictait depuis chacun de mes faits et gestes, chacune de mes paroles, que je n'étais plus que la coquille vide servant de véhicule à un Alien venimeux et méchant.

Dagon aujourd'hui parmi nous.

– Je peux vous satisfaire, j'ai dit, et ma voix était claire et assurée, je pourrai vous combler.

Mon regard les a fixées une à une, dans un vaste panoramique lent et appuyé, je pourrai vous remplir, je pourrai vous féconder, bravo a approuvé l'incube, elles sentent ton fluide, tu les envoûtes, c'est bien. Il y avait quelque chose à l'intérieur de moi qui n'était pas moi, et dont pourtant je percevais les frémissements et les soupirs, une force jusque-là tapie et qui aujourd'hui osait se manifester franchement. Est-ce que je suis Dieu ? j'ai demandé, est-ce que j'ai eu raison de penser ça ? et après un instant de silence la réponse m'est parvenue, non, pas exactement, non pas Dieu lui-même, mais quelqu'un qui lui était cher mais l'a trahi.

– Je suis pour, se décidait la folle, je suis pour, mais dès qu'on est enceintes, on le tue.

Les autres ont approuvé bruyamment, honhonhon, et comme elles commençaient à avoir faim on a stoppé sur un petit îlot, une des foldingues a extirpé un lot de poissons des filets attachés à la poupe des embarcations et Gladys a allumé le feu, avec un briquet sorti précieusement d'une pochette en plastique, un briquet Bic dont elle a soigneusement actionné la pierre, une fois, pas plus, et nous avons mangé, pauvres pêcheurs égarés dans l'immensité d'une planète en ruine, ou pour le moins en pleine mutation, un groupe de cinglées et de débiles accompagnées par leur éducatrice, et moi, toujours prisonnier de ma menotte, assis au fond de ma barque et me protégeant comme je pouvais du soleil qui commençait à taper dur, essayant de garder mon sang-froid malgré cette histoire de possession, dorénavant si le danger et l'ennemi étaient partout, ils étaient également à l'intérieur de moi, dans ce que l'expérience m'avait toujours amené à considérer comme le refuge évident de mon être et de ma personnalité intime.

Le poisson m'a paru délicieux, grillé sur des pierres, avec des herbes aromatisées, un vrai régal dont je me suis pourléché les babines jusqu'à plus soif, on m'a passé une gourde, l'eau du fleuve était polluée, ou irradiée, en tout cas donnait des coliques horribles et des maladies de peau, irradiées de toute façon ça fait un moment qu'on l'est s'est esclaffée la rousse, de ce point de vue-là ça fait un bail qu'on craint plus rien, et je me suis dit qu'irradié moi aussi je devais l'être, et pas qu'un peu et du même coup j'ai réalisé que je n'avais plus peur de mourir, ou d'être malade, que j'étais passé de l'autre côté, d'autant que de toute façon je ne savais même pas si la mort existait vraiment, tu te trompes est revenue à la charge la voix, la mort est quelque chose de tout à fait réel, tu aurais tort d'en douter, et comme en écho une fille a crié regardez les corps, on dirait qu'ils nagent, ce qui a provoqué dans le groupe une violente hilarité, le fleuve charriait des cadavres et ça les faisait rigoler, ce qui somme toute était plutôt réconfortant, j'ai ri moi aussi, regarde celui-là il ressemble à un hippopotame, nous étions tous pliés, unis et complices d'un seul coup par le biais de cette franche bouffonnerie, des morts flottant au fil de l'eau, et puis comme malheureusement les meilleures choses ont une fin, cette petite distraction une fois évacuée, il a fallu remettre ça, les rebaiser encore et là, franchement je n'en pouvais plus, je me rappelais parfaitement d'une interview de hardeur que j'avais vue il y a long-temps, à la télé, mon Dieu que cela semblait loin, le type disait vous croyez que j'ai une vie de rêve, vous croyez que c'est agréable, mais les odeurs, vous avez pensé aux odeurs, tripoter des étrangers, avoir une pro-miscuité constante avec des chattes et des culs vous n'imaginez pas l'horreur que c'est en réalité. En limant ma première cliente je revoyais avec précision le visage du type, sa moustache, son air fatigué, oui, c'était ça, fatigué et légèrement écœuré, vingt ans de X, mon-sieur, un pilier de partouze, cent soixante-douze films professionnels, des exhibitions dans le monde entier, un hardeur vieillissant se rappelant avec un vague dégoût les détails des intimités visitées, au bout de la troisième je me suis arrangé pour faire une pause dans la barque de Gladys, je pense que j'avais un peu le ticket avec elle, et dès que j'ai pu j'ai dit attends, il faudrait qu'on parle, c'est pas une bonne organisation, si vous voulez tomber enceintes il faut être rationnel.

Rationnel et habile.

Ma liqueur n'est pas inépuisable, est-il vraiment nécessaire de la gaspiller dans de vaines étreintes ? Dans des ébats stériles ?

Elles sont vieilles Gladys.

Vieilles ou folles.

Et nous sommes peut-être la dernière chance de l'humanité.

Ou du moins l'une de ses chances.

Nous sommes la promesse de l'avenir Gladys, et elles font déjà partie du passé, d'une époque qui s'achève.

J'étais calme, posé, le Serpent à l'intérieur de moi énonçait chacune de ces vérités comme autant d'évi-dences lumineuses et réelles.

Je parlais doucement, pour que les autres n'enten-dent pas, et pourtant chacun des mots prononcés avait une force et une puissance incontournables, il me semble que tu devrais y réfléchir Gladys, il est possible que nous ayons ici-bas une mission, et je doute que s'adonner à des orgies sur un baisodrome flottant en fasse réellement partie.

Les phrases sortaient de ma bouche avec un léger temps de retard, modulées par un écho, l'écho du monstre, et j'ai pensé un bref instant merde en fait je suis en train de devenir schizophrène, mais le génie, l'incube, m'a immédiatement coupé, absolument pas, ne crois pas ça, je suis tout à fait réel et un bref éclair transparent a fendu l'air entre nous et les vieilles au fond de la barque.

– Qu'est-ce que vous complotez ? a d'ailleurs grogné une des mégères, te laisse pas embobiner, Gladys, il a l'air aussi faux qu'un présentateur télé.

En tout elles étaient quinze, seize avec Gladys, cinq vieilles semi-séniles, à se demander comment elles avaient tenu le choc jusqu'ici, sept débiles ou assimilées qui ne semblaient pas franchement commodes, costaudes, avec des têtes épouvantables respirant l'anormalité, la folle qui disait des poèmes, et deux pas mal, une stagiaire assistante sociale et la comptable, toute une troupe évoquant sans nul doute ces nefs de fous qu'on confiait aux hasards du fleuve, en d'autres temps moyenâgeux, et qui livrés à eux-mêmes devaient bien trouver une solution pour se débrouiller.

– Je le sens pas Gladys, je n'aime pas ses yeux, il a un regard de menteur.

J'ai remurmuré à Gladys, penses-y, réfléchis, mais ne laisse pas non plus passer la chance et puis les débiles ont crié et j'ai dû changer de barque, l'idée saugrenue d'une couverture de journal à sensation m'a traversé, JOUET SEXUEL : ELLES L'ÉPUISENT QUARANTE-HUIT HEURES DURANT AVANT DE LE JETER DANS LE FLEUVE, LES MONGOLIENNES ÉCHAPPÉES DE LEUR CENTRE AVAIENT TRÈS FAIM, avec la photo en noir et blanc des filles toutes nues, encadrées par les gendarmes, se cachant le visage dans leurs mains, et Gladys en arrière-plan, l'air ennuyé. L'ÉDUCATRICE COMPLICE PARTICIPE À L'ORGIE, la plus épouvantable a écarté les cuisses et je me suis mis au boulot, pendant que les autres se chamaillaient au-dessus de ma tête à qui serait la suivante.

J'ai égrené dans mon esprit les dix commandements des Tables de la Loi :

Tu n'auras pas d'autres dieux face à moi.
Tu ne feras pas d'idoles.
Tu ne prononceras pas en vain le nom de Yahvé.
Souviens-toi du jour du sabbat pour le sanctifier.
Honore ton père et ta mère.
Tu ne voleras pas.
Tu ne commettras pas l'adultère.
Tu ne tueras pas.
Tu ne déposeras pas de faux témoignages contre ton prochain.
Tu ne convoiteras pas la maison de ton prochain, ni sa femme, ni son serviteur, ni sa servante, ni son âne, ni rien de ce qui lui appartient.

en songeant que depuis que le monde était monde l'humanité s'était bâtie sur leurs contraires exacts, le mensonge, le meurtre et la convoitise, et que si Dieu existait vraiment il ne manquait ni d'humour ni de toupet. Les salopes ont grogné et gémi les unes après les autres et j'ai eu de nouveau droit à une pause, une petite pause avant le dodo, la folle fredonnait :

Si l'on s'imagine
Plonger au fond des mers
Défier pour un moment
Les astres des profondeurs
Il nous serait montré
Sous quelques cloches de verre

Les géants conservés
Aux vilains cœurs de pierre
D'une ère révolue
D'un temps bien oublié.

et c'est là-dessus que je me suis endormi.

J'ai rêvé que j'étais sur la lune, qu'il faisait noir, une pénombre nimbée de miroitements grâce auxquels je finissais par distinguer un lac, un lac gelé signifiant la mort et la désolation qui m'entouraient et puis des cloches se mettaient à sonner, l'eau du lac se réchauffait, la glace fondait et l'étang se mettait à bouillonner, à bouillonner à la température idéale pour prendre un bain, un jacuzzi lunaire qui se peuplait de femmes, de tous âges et de toutes confessions, des blanches et des jaunes, souriantes et hostiles, pépiant entre elles et s'inquiétant de ma présence, je voyais au loin la Terre et ses dix commandements et je prenais conscience que la lune n'était rien d'autre que l'attraction maléfique sous-tendant les flux et les reflux qui animaient cette planète, un facteur indispensable à l'évolution des choses, l'important c'est que ça bouillonne disait une des femmes, si tout le monde respectait les principes depuis le temps qu'on est là on se ferait sacrément chier, et puis j'ouvrais les yeux et la sarabande recommençait encore, malheureusement pas sur la lune, j'étais toujours dans ma barque, avec mon poignet ankylosé et mes vieilles et mes débiles et il fallait encore que je les relime, jusqu'à la fin des temps, jusqu'au début de l'éternité.

La folle s'est ébrouée en s'aspergeant d'eau du fleuve, de la bonne eau irradiée et porteuse de tous ces cadavres si rigolos et où nageaient d'innombrables poissons mutants dont nous allions encore faire bombance ce midi, Gladys a compté ses troupes, trois fois dans la journée il y avait comptage, tradition restante du centre d'où elles venaient, un, deux, trois, tout le monde est-il bien là, et peut-être comme il faisait toujours beau ou que mes performances leur avaient mis le cœur en joie il fut décidé d'organiser le soir même une cérémonie.

Ouais, ont braillé toutes les filles, super, génial, poussant des cris et des youpis, une cérémonie, trop cool.

J'avais la bite en feu, y avait-il oui ou non des jacuzzis sur la lune et pouvait-on ressusciter, revenir d'entre les morts et recommencer encore ou tout était-il cuit depuis le début ?, **le cinquième ange sonna de la trompette, et je vis une étoile qui était tombée du ciel sur la Terre, et la clé du puits de l'abîme lui fut donnée**, de les voir assises en cercle, sur une berge de la Loire, une petite plage de sable fin avec quelques galets et la douceur du soir, autour de leur feu, j'ai éprouvé une sorte de tendresse bizarre, malgré les foldingues et les décrépites, une vague bouffée d'émotion m'effleurant à l'idée qu'elles étaient peut-être déjà enceintes de moi.

Un peu avant la tombée de la nuit nous avons de nouveau stoppé sur une île au milieu du fleuve, dans la journée il avait fait chaud, trop chaud, mais maintenant l'air était doux et à l'idée de cette cérémonie dont je n'avais pas encore compris le sens exact tout le monde paraissait à la fois grave et surexcité.

– Avant toute chose mettez-vous en cercle et ouvrez bien vos oreilles.

Elles se sont installées sagement autour de Gladys, autour de la chef qui avait pris un ton un peu emprunté d'animatrice BAFA, j'étais attaché à l'avant d'une des barques et à partir de cet instant plus personne n'a fait attention à moi.

– Nous allons commencer par la lecture d'un morceau du Journal que vous ne connaissez pas.

Et toutes les filles ont frémi.

– Récit de ma vie, par Wendy Angelier.

Gladys devait avoir un chat dans la gorge, ou elle aussi était un peu émue, parce qu'elle s'est éclairci la voix à plusieurs reprises.

Récit de ma vie, par Wendy Angelier.

Novembre
Il m'apparaît aujourd'hui évident que ma venue sur
cette terre n'aurait pu prendre un autre chemin et
que les actes qui m'ont conduit à me substituer à
la main de Dieu ne sont que la conclusion d'une
réflexion que je me devais de mener à terme.

Avec son drap scintillant dans le soir tombant on
aurait dit une prêtresse entourée de ses fidèles.
Elle a continué, d'un ton calme mais qui s'exaltait
au fur et à mesure du récit.

Moi, Wendy Angelier, assistante sociale, qui me
suis résolue en mon âme et conscience à tuer cer-
tains de ceux dont j'avais la charge, afin de leur
éviter les tourments et les affres d'une vie sur terre
et des épouvantes à venir et ai décidé de passer outre
les signes que m'envoie le ciel et d'assumer pleine-
ment cette décision [...]

Novembre (plus tard dans le mois)
Ouvert au hasard l'Apocalypse illustrée par Dürer :

**« 15. Ce sont ceux qui viennent de souffrir de
grandes afflictions, et qui ont lavé et blanchi leur
robe du sang de l'Agneau. C'est pourquoi ils sont
devant le trône de Dieu, et ils le servent jour et
nuit dans son temple, et celui qui est assis sur le
trône les couvrira comme une tente. 16. Ils n'auront plus ni faim ni soif, et le soleil ni aucune
autre chaleur ne les incommodera plus, 17. parce
que l'Agneau qui est au milieu du trône sera leur
pasteur, et il les conduira aux fontaines des eaux
vivantes, et Dieu essuiera de leurs yeux toutes les
larmes. »**

Quel sens peut-on lui donner, si ce n'est que nos
souffrances ne sont pas vaines, alors que pourtant
tout nous indique le contraire.

Gladys lisait ça comme s'il ne s'agissait de rien de
moins que du livre sacré des Grands Anciens, l'histoire
me faisait vaguement penser à quelque chose, à un fait
divers qui datait de quelques années, une assistante
sociale qui s'était mise à barjoter et avait assassiné
plusieurs personnes dont elle s'occupait, à l'époque
l'idée m'avait même effleuré d'en faire une toile, je
crois que j'avais commencé quelques croquis d'après
des photos parues dans la presse, et puis, pris par autre
chose, j'avais laissé tomber.
La sainte assassine qui tuait les gens par compas-
sion. Pour les soulager.
Pour abréger leurs tourments sur cette terre.
Gladys continuait à psalmodier les confidences et les
considérations diverses de la meurtrière, message en
direct de l'au-delà nous parvenant à travers les brumes
de la mort et nous informant point par point du cheminement exact de sa pensée.

Je sais combien les temps à venir seront troublés
et source de tristesse et de malheur, je prends donc
en toute responsabilité la décision d'interrompre le
séjour parmi les vivants des personnes suivantes...

Suivait une liste de noms, les noms de ses clients,
ou patients, je ne sais trop comment on appelait les
individus ayant affaire à une assistante sociale, une
liste assez fournie qui m'a fait penser à mes trucs de
généalogie, *voici les noms des fils d'Israël, venus en*
Egypte avec Jacob et la famille de chacun d'eux : Ruben,
Siméon, Lévi, Juda, Issacar, Zabulon, Benjamin, Dan,
Nephtali, Gad et Aser, comme si de toute façon depuis

longtemps tout s'organisait à l'intérieur d'une chaîne où la vie de chaque maillon dépendait du suivant, nous laissant dans ces maigres espaces une marge de manœuvre plutôt réduite.

A la fin de sa lecture Gladys a demandé une pensée pour Wendy, pour sainte Wendy qui là-haut nous regardait, nous aidait de ses bonnes ondes et de ses encouragements, et puis nous sommes passés à la suite des opérations, à la cérémonie.

Gladys a appelé vers elle deux filles, ses assesseurs, et j'ai d'abord cru qu'il s'agissait d'un tribunal, qu'elles allaient étudier au cas par cas les mérites et les fautes éventuelles de chacune mais elle s'est juste contentée de claironner qui aujourd'hui est candidate au mariage ?, qui désire sincèrement s'unir devant les lois civiles en vigueur dans ce pays et devant notre Créateur ?, suscitant dans l'assemblée gloussements et émotions, regarde me murmurait le Serpent, regarde comme elles sont mignonnes et touchantes. Les reflets de la lune brillaient sur la surface du fleuve, donnant presque l'illusion que chaque parcelle, chaque atome de ce qui nous composait, de ce qui composait la terre se trouvait pour un instant dissocié et que le cœur lumineux des choses nous était soudainement perceptible. Une première candidate s'est mise debout, un peu hésitante, encouragée par ses camarades qui ont applaudi son courage et sa décision et d'une voix qui se voulait douce la maîtresse de cérémonie lui a demandé qui était son galant, qui était son promis.

– Rappelle-toi, souviens-toi de son nom, décris-le-nous, quelle était la couleur de ses cheveux, dans quelles circonstances vous vous êtes rencontrés et peut-être la première fois que tu l'as embrassé.

La fille qui s'était levée la première avait un problème d'élocution, à vue de nez c'était une des plus demeurées, une débile. Elle a bredouillé, toute gênée, qu'il s'appelait François, i a e ou a é an çoi é i éé blond, et Gladys a répété blond, suivie par toutes les autres, blond, et tu voudrais te marier avec François, tu voudrais que Babeth et François se marient et fassent des bébés ?, la fille a hoché la tête, oui, blond, oui, je veux me marier, d'une voix plus distincte, comme si cette perspective formidable, se marier, lui donnait instantanément une confiance en elle jusque-là inconnue, oui, je le désire, ce qui a conduit Gladys à expliciter le cadre dans lequel allait s'effectuer cette démarche.

Nous étions dans une situation extrême, une situation troublée.

Assimilable à un conflit armé.

Pendant la Deuxième Guerre mondiale, en raison de la raréfaction des hommes, morts au combat, l'Etat allemand avait décrété qu'il était possible d'épouser un fiancé décédé, de convoler avec un défunt, et des milliers de gentilles Frau avaient donc accompagné à la mairie et peut-être même à l'église une ombre absente qu'elles avaient, des années auparavant, chérie et aimée.

Nous n'étions aujourd'hui pas en guerre mais dans un contexte pire, et des hommes il n'y en avait plus, ou du moins ceux qui restaient n'étaient pas les bons, et quelqu'un avait proposé qu'on puisse épouser un souvenir.

– E ème ançois.

Gladys faisait office de maire et de curé, les deux autres à côté servaient de témoins, François acceptez-vous de prendre Babeth pour femme, devant les hommes et devant Dieu ? La malheureuse se tortillait en rougissant, eu é pa, eu é pa, é peur, é peur, telle une représentation grotesque des rapports humains, une sorte d'exorcisme thérapeutique de l'appréhension de l'Autre : la peur des hommes, ou de s'engager, de quoi as-tu peur Babeth ?, quelle est ta crainte ?, mais finalement son angoisse s'est révélée encore plus triviale que je ne l'avais supposé, é peur il divorce, é peur qu'il m'abandonne, et à l'idée de ce dénouement fâcheux elle s'est mise à pleurer, doucement, des petits sanglots étouffés, qu'il a fallu aller consoler, ançois est parti, ançois est parti, les candidates suivantes devaient commencer à s'impatienter parce que sitôt la fontaine endiguée on a poussé la pleureuse vers l'autel et assez rapidement les mots consacrant l'union ont été prononcés.

– Je vous déclare donc, pour le meilleur mais aussi pour le pire, unis par les liens sacrés du mariage et je vous rappelle, François, que vous devez à Babeth assistance et protection.

Des liens.

Qui étaient sacrés.

Et officialisaient la réunion de deux êtres.

Une débile perdue sur un radeau flottant au gré d'un fleuve irradié et un souvenir.

J'aurais pu rigoler, ou trouver ça bête, ou carrément dément, mais ce que j'ai ressenti c'est une profonde admiration, presque un ravissement devant les ressources infinies de la nature humaine, devant sa capacité à toujours trouver in extremis les trucs pour faire barrière au chaos, pour éviter la folie.

C'était merveilleux de les voir à tour de rôle se présenter, petites filles à la communion ânonnant le prénom de celui qu'elles avaient élu, leur chéri, tout empruntées devant l'officiante, remettant leur destin entre les mains du sort, le liant pour la suite des événements dans une étreinte imaginaire, et prenez-vous, Philippe, Sandrine ici présente pour épouse légitime, pour femme jusqu'au bout, jusqu'à ce que la mort vous sépare, jusqu'à la fin des temps ?

A chaque fois Gladys leur passait au doigt un anneau, une alliance de fortune, en les bénissant, elle s'est permis une mise en garde avec Christine, attention Christine, es-tu sûre de ton choix ? ne vas-tu pas au-devant de graves désillusions ? ne serait-il pas plus prudent de t'orienter vers un autre garçon, vers quelqu'un de plus gentil ?, mais l'autre a pleurniché que non, c'était Georges qu'elle aimait, même avec tous ses défauts, même méchant, et Gladys a fini par se rendre à son choix, allons-y pour Georges mais je t'aurai prévenue, il ne faudra pas venir te plaindre après.

J'étais à l'écart, elles m'avaient complètement oublié et avec un peu de patience j'aurais vraisemblablement pu me dégager de mon entrave et filer discrètement, à la nage jusqu'à la berge, mais encore une fois où aurais-je été, et avec qui ?, c'étaient des foldingues, peut-être, mais somme toute plutôt pas vraiment abominables, qui savaient pêcher des poissons et qui doucement m'emmenaient vers la mer, lorsque la dernière s'est trouvée mariée Gladys a pour elle-même choisi un compagnon, Gaston, il s'appelle Gaston, je l'ai embrassé dans un blockhaus, j'avais douze ans.

Des fils innombrables et lumineux dansaient devant mes yeux, une toile réunissant les ramifications diverses nous reliant les uns et les autres, au-delà du temps et de toute géographie, Gladys a fini par dire oui et je me suis assoupi, pris par cette impression : tous les fils se rejoignaient, nous arrivions à l'océan et les flots se transformaient en lumière pure.

J'avais sombré dans un état entre la veille et le sommeil, entrecoupé de flashs étranges où rampait à même le sol le groupe des jeunes épousées, couinant des râles de souffrance, râles qui finissaient par se transformer en gémissements primaux, comme si une ribambelle de nouveau-nés venaient de voir le jour et poussaient, gaillards, leurs premiers cris, puis des oiseaux s'abattaient sur les malheureuses et dans un battement d'ailes épouvantable enlevaient les enfants. J'essayais d'ouvrir les yeux mais mes paupières avaient la pesanteur du plomb, je l'appellerai Reynald disait la voix de Gladys, Reynald c'est un joli nom. Il me semblait les voir toutes, hurlantes, souffrantes, en plein travail, accouchant prématurément du fruit de leur union fantôme, arc-boutées dans de fatidiques contractions, mères enfin d'un être pur et immaculé venant succéder à l'aube des temps futurs aux peuples déchus dont étaient issus leurs parents.

Je me suis réveillé sur la barque, il faisait jour, mes deux mains et mes pieds étaient attachés, je voyais le visage de Gladys et des autres en contre-plongée, sereines et fatiguées après le mariage et l'accouchement, femmes accomplies à l'expression soucieuse, elles avaient dû me porter et me ficeler sans que je reprenne mes esprits, les autres embarcations étaient collées à la nôtre, elles m'ont relevé un peu, de manière à ce que je sois à demi assis, l'image qui m'est venue était celle d'un totem au milieu d'une tribu de goules, d'un emblème que l'on se proposait de sacrifier, aucune ne disait mot, elles me regardaient, j'ai tenté de sourire, de blaguer, que se passe-t-il les filles, pas de bamboula aujourd'hui ?, la débile et ses copines roulaient des yeux en billes de loto, accentuant encore les signes extérieurs dus à leur handicap, j'avais une faim terrible et une douleur sur le côté droit, à l'endroit du foie, m'a transpercé, n'aurait été cette souffrance ma vie à cet instant m'apparaissait comme quelque chose d'extérieur et d'abstrait, tel un film ou un tableau qu'il m'était donné de contempler à travers le filtre d'une quiétude bienveillante.

Alouhahouahahahahahahahahahahahahahahahah ahahahahahahahahahahahahahahahaha.

Gladys a été la première à démarrer, aussitôt imitée par le troupeau, des cris, ou plutôt des hurlements, qui m'ont plongé dans une terreur noire, ahahahahahahahaohhohohohoho, comme si ce son était un courant électrique en prise directe avec les nervures secrètes de mon âme, avec le fluide nerveux qui irradiait mes centres vitaux, une malédiction déchiquetant au passage des milliards de cellules, m'amoindrissant, ahahahahahahhaaaaaaaa, arrête j'ai hurlé à Gladys, dis-leur de s'arrêter, mais du fond du ciel se sont dessinées des silhouettes d'oiseaux, d'oiseaux de proie immenses, des aigles, qui ont fondu sur nous, caquetant à l'unisson des folles, s'abattant sur moi, sur les barques dans un bruissement infernal.

IONE

Qu'as-tu vu ?

PANTHÉE

Le ciel tout autour, la terre en dessous étaient peuplés d'images pressées de la mort humaine, toutes horribles, toutes l'œuvre des mains de l'homme, et quelques-unes semblaient être l'œuvre de son cœur, car des hommes étaient lentement tués par des regards sévères et des sourires : et autour erraient d'autres visions, trop odieuses pour qu'on puisse vivre après en avoir parlé.

UNE FURIE

Ceux qui par amour pour l'homme endurent de cruelles souffrances, et le mépris, et les chaînes, ne font qu'entasser des tourments multipliés sur eux-mêmes et sur lui.

Et tandis qu'un éclair assourdissant ébranlait l'atmosphère, comme au meilleur moment d'un film de cauchemar, je prenais soudainement conscience de mon identité, cette fois, sans doute aucun, effectivement je n'étais pas Dieu, pas Zeus, mais un être divin malgré tout, Prométhée, celui qui par pur altruisme avait donné aux hommes le feu.

UNE FURIE

Déchirez le voile !

UNE AUTRE FURIE

Il est déchiré.

L'aigle de tête m'a attaqué bec en avant, la chair de mon ventre a éclaté sous le choc, fendue net par l'acier impitoyable et tranchant, les filles derrière gloussaient et chantaient, au comble de la joie. *La main du Sarrasin/s'abat sur les lieux saints/le Turc en a tant pris/que les pays conquis/sentent tous le pipi*, il me semblait entendre la sentence par-delà l'invisible et les monts éternels, *je t'enchaînerai à un rocher et chaque jour un aigle te rongera le foie*, supplantée bientôt par la voix du Serpent, dis-leur d'aller se faire voir, dis-leur que c'est des gros cons, ce que tu perçois n'est pas la réalité, ce que tu perçois n'existe pas, envoie-les chier et je te donnerai l'immortalité.

Le monde était éclaté et morcelé en une infinité de dimensions et dans les premières mes entrailles ensanglantées se répandaient aux pieds des harpies et dans une autre j'étais face à face avec cet esprit qui m'habitait, indemne et fringant, écoutant ses conseils, alors que les paramètres qui régissaient l'univers s'alignaient dans une coïncidence impeccable pour disparaître, l'aspect et la forme des choses rendus de ce fait inutiles. La mer a soudainement braillé Babeth, la mer est partout, j'étais à contresens du courant, une flèche est venue se planter dans la gorge de l'aigle, Zeus ayant dû avoir pitié de moi, détache-moi j'ai supplié Gladys, détache-moi par pitié, la mer gémissaient les filles, la mer est partout, l'aigle a agité ses ailes faiblement, avant de choir dans le fleuve, attrapez les filets disaient des gens que je ne pouvais pas voir, attrapez les filets ou vous allez être pris par le courant.

Les filles piaillaient comme cent mille diables, Gladys avait la bouche ouverte et regardait effarée un spectacle qui m'était interdit mais qui devait, vu son air meurtri, être pour le moins épouvantable, des crochets ont attrapé les barques, nous ont tirés, dans la panique celle d'à côté s'est renversée et les malheureuses passagères ont basculé dans le fleuve, j'ai senti qu'on tranchait mes liens, qu'on m'attrapait et qu'on me poussait sur le bord, j'ai senti la terre ferme sous mes pieds, j'étais sauvé.

– Je le tiens, m'a éructé un gros dans l'oreille, aide-moi c'est un costaud.

J'ai eu le temps de jeter un coup d'œil vers l'embouchure du fleuve, l'océan recouvrait tout, une mer plate et grise s'étendant jusqu'à l'infini, c'est Angers a dit le gros en ricanant, tu reconnais Angers?, c'est fini la terre, c'est fini on va tous crever dans le prochain raz-de-marée, ça sert à rien de te débattre, de toute façon c'est cuit.

Ils m'ont enfermé dans un grenier, assez loin de ce qui était maintenant le rivage et qui avant devait être des champs, ou des vignobles, des malotrus aux visages rougeauds empestant l'alcool, avec des grosses mains calleuses qui m'ont broyé les avant-bras, des paysans, obtus et déterminés, sans que j'aie le temps de me rebeller ou de protester. Les filles avaient disparu, certains des assaillants avaient des fusils de chasse et aucun ne semblait disposé à plaisanter outre mesure.

– J'ai faim, j'ai imploré avant qu'ils ne referment la porte, j'ai faim, j'ai pas mangé depuis des jours.

Mais tout ce qu'a trouvé à répondre un des porcs c'est mange ta main et garde l'autre pour demain, ha, ha, ha.

La pièce était sombre, avec des trous dans la toiture, les éléments de la charpente étaient poussiéreux et recouverts de toiles d'araignées et de brins de paille, il était plus que probable que la réalité tout entière ne soit qu'un leurre destiné à cacher une dimension invisible et masquée, un rébus incontournable à déchiffrer lettre après lettre, et que le monde présentait un caractère indéniable d'étrangeté, il n'empêche, si je ne trouvais pas à manger dans les plus brefs délais j'allais mourir d'inanition. Non, a refait le Serpent, et sa présence s'est matérialisée de manière tangible face à moi.

Non, certainement pas, tu as demandé l'immortalité et je te l'ai accordée. J'avais la vision d'un crocodile, ou d'un homme-reptile, une forme mouvante et variable dégageant une aura presque jubilatoire me confortant dans ce sentiment saugrenu, j'étais en train de passer un pacte avec le démon et j'allais devenir invincible, sentiment se télescopant avec ma destinée prométhéenne et mon long et douloureux combat contre Zeus et toutes les fariboles abracadabrantes qui m'avaient hanté depuis le début de ce songe horrible, j'ai passé un pacte avec le démon et je suis sauvé, il ne peut plus rien m'arriver. La porte s'est rouverte violemment et un des gros m'a gueulé de rappliquer, en me collant une gifle au passage, tiens-toi tranquille pédale et essaye pas de faire ton mariolle, on t'a à l'œil.

Ils étaient tous rassemblés dans la pièce du bas, un groupe de salopards avinés, on m'a fait patienter dans un coin, pendant qu'au milieu Gladys et une autre fille, une des mieux, pas une débile, se faisaient violer, ou baiser, difficile de savoir si elles étaient consentantes ou pas, de toute façon ce genre de question n'avait, vu le contexte, plus guère de sens, les beaufs s'en donnaient à cœur joie, les boutiquant tout ce qu'ils savaient, à la fin un maigre avec un visage chafouin a défoncé Gladys par-derrière avec le canon de son fusil, ce qui a beaucoup faire rire les autres, riez, riez, Satan du haut de son royaume vous contemple et vous applaudit, la pauvresse s'est répandue sur le plancher et l'idiot a déchargé sa chevrotine dans une giclée de merde et de sang.

– T'es con Albert, t'es con, qui va nettoyer maintenant ?

Mais l'un dans l'autre le spectacle les ravissait quand même, regarde elle a le cul complètement arraché, l'autre malheureuse était assise à côté secouée de spasmes, elle devait faire une crise d'épilepsie, ou quelque chose d'approchant, une femme, que je n'avais pas encore remarquée, lui a décoché un coup de pied en disant elle va avaler sa langue la pute, en remontant ses jupes pour lui pisser dessus, ce qu'avaient fait les jeunes après avoir violé notre voisine, à Paris, quand la ville était livrée aux bandes, des années avant, il y avait si longtemps, peut-être redevenons-nous comme des bêtes, des animaux stupides, la méchanceté en plus, chie-lui dessus Michèle, chie-lui dessus ça va la calmer, de repenser à Paris mes souvenirs ont dérivé jusqu'à Marianne, à notre petite vie douillette et les problèmes qu'on se posait à l'époque et qui n'en étaient pas, mais au lieu de m'émouvoir cette réminiscence m'a laissé de glace, qu'est-ce qu'il y a Michèle, t'es constipée ? ha, ha, une puanteur d'égout emplissait la pièce, plus rien ne pouvait m'affecter.

Gralala faisait la fille dans un râle presque comique, effectivement en train d'avaler sa langue, gralala, un des ignobles a proposé que ce soit moi qui m'occupe du dégagement des cadavres, fais-lui faire le ménage, pour une fois qu'on a un esclave on va pas s'en priver, la femme qui avait essayé de déféquer sur l'épileptique a approuvé bruyamment, un peu mon neveu qu'on va en profiter, j'avais à mes côtés plusieurs hommes-créatures, mi-alligators mi-êtres canins, charpentés comme des géants, ils se sont interposés entre moi et les culs-terreux. Mets-lui le bandeau Roland, qu'on fasse un colin-maillard avant de le mettre au boulot, le porc du départ a tendu la main pour me passer un foulard autour des yeux et mes compagnons invisibles l'ont laissé approcher, viens là mon petit lapin, n'aie pas peur, viens donc jouer à colin-maillard avec papa.

– Qu'est-ce que je fais ? j'ai interrogé le Serpent, qu'est-ce qu'ils vont me faire ?

A terre l'épileptique rendait son dernier soupir. Gladys n'était plus qu'un petit tas sanguinolent. La pensée fugace de sa copine Wendy l'accueillant au royaume des ombres m'a un instant effleuré, une Wendy charmante et apaisée, très belle, blonde et diaphane, supplantée par les vociférations des dégénérés, colin-maillard, colin-maillard, et mêlée aux alligators-boule-dogues qui semblaient soudain briller, devenir phos-phorescents et se fondre à l'intérieur de moi, m'em-plissant d'une tornade indéfinissable et surtout provo-quant chez les salopards un mouvement de recul, putain Jeannot fais gaffe, c'est un monstre, c'est un monstre, il est en train de muter.

Ils m'ont ramené dans le grenier, en me boutant en arrière avec des brandons et des fourches, en prenant bien garde à se tenir à distance, je ne sais pas ce qu'ils croyaient voir, en tout cas quelque chose d'horrible, je me sentais froid et bizarre, froid et bizarre comme un serpent et la seule chose que j'arrivais à me formuler c'est ça y est, j'ai franchi le pas, j'ai vendu la part encore intacte de moi-même et un jour ou l'autre j'irai rôtir en enfer, autant le savoir et m'y préparer. Je n'avais plus ni faim ni soif ni sommeil, et ma condition de prisonnier m'indifférait globalement. J'étais en train de devenir un autre, de quitter ce que j'avais toujours appris à considérer comme le tout repérable de moi-même, j'étais en train de me métamorphoser en démon.

Les jours ont succédé aux jours, plus personne ne s'est montré, j'étais seul, prostré, dans mon grenier, pratiquement absent de mon corps, végétant entre deux mondes sans parvenir à me décider pour une dimension ou l'autre, persuadé malgré tout que j'étais prêt à me dissoudre dans l'éther, si je le désirais vrai-ment, par moments mon champ de vision était traversé de silhouettes, d'apparitions, tous mes nouveaux amis, agrémentés d'autres monstres.

La seule chose qui surnageait dans cette confusion où il me semblait dériver sur les ailes mêmes du rêve c'est des bribes de *La Métamorphose*, qui venaient ryth-mer l'alchimie bizarre qui m'engourdissait : « *d'un côté ses pattes flottaient dans l'air, vibrant dans le vide, de l'autre elles s'étaient douloureusement coincées sous son corps...* », non pas que j'avais la sensation de me transformer, comme le malheureux Grégoire, en vermine innommable, mais plutôt qu'il se passait à l'intérieur de moi la poursuite d'un travail commencé, je m'en rendais compte, bien avant le début de notre fuite, le souvenir d'un rêve réapparaissait, j'étais avec Marianne et le petit, plusieurs membres de notre famille nous croisaient, anxieux de savoir quelle était notre destination, si nous allions tenter de gagner, comme le reste de la population, le Paradis, et Marianne répondait tristement, en me montrant d'un mouvement de menton résigné, comme si c'était moi la cause de ce choix stupide, non, nous n'allons pas au Ciel, Balthazar pense que ce n'est pas une bonne solution, que nous méritons mieux, non, nous n'allons pas au Ciel.

Un matin, je n'avais pas mangé depuis suffisamment de jours pour mourir quarante fois de faim, la porte s'est ouverte et un homme est entré, grand, avec un manteau de cuir épais et des cheveux déjà grisonnants, faisant immédiatement penser à quelque chose de moyenâgeux, ou plutôt de sans âge, avec des yeux également gris qui semblaient scruter le monde avec calme, les paysans se tenaient derrière, dans l'escalier, sans piper mot, juste chuchotant leurs bêtises et lui prodiguant des mises en garde, il se transforme en monstre vous allez voir faites attention, mais loin de s'en effrayer le colosse s'est approché et a énoncé une phrase incompréhensible : Ο κοσμος πονος τις νομιζηται[1] dans un langage bizarre, et qui m'a fait une impression légère et plaisante, lève-toi a dit l'homme, et suis-moi, ordre repris en écho par le Serpent réapparu au bon moment, tels les noms sacrés de Dieu un

1. L'univers est conçu comme un tourment.

jour de tempête, vas-y, lève-toi, fais ce qu'il te dit, dehors le village entier était rassemblé, mutique et haineux, certains ont craché dans ma direction et c'était vraisemblablement parce que les circonstances ne se prêtaient pas aux bondieuseries que personne ne s'est signé.

L'homme m'a lié sur un cheval, mon corps pendu en travers d'une selle inconfortable sans pourtant que j'aie la moindre velléité de rébellion, et nous sommes partis, au trot, sans échanger d'autres paroles, laissant mes kidnappeurs à leur destin d'abrutis et au raz-de-marée possible, nous enfonçant dans les plaines vides et dans les forêts, remontant le cours du fleuve que j'avais mis tant de temps à descendre.

Parfois nous chevauchions la nuit, et parfois le jour, croisant de rares survivants que notre cavalcade renvoyait dans les profondeurs des fourrés où ils se terraient, lors des haltes mon gardien me posait à terre et traçait autour de moi un cercle en grommelant de nouvelles formules tout aussi ésotériques que sa première interpellation et je passais mon temps de repos recroquevillé dans cette prison aux murs invisibles, à demi fou et à demi absent, à la fois moi-même et à la fois déjà un autre, contemplant au fur et à mesure l'évolution du cours des choses. L'homme restait silencieux, sans me prêter grande attention, plongé dans ses pensées, ne faisant rien pour éclaircir la compréhension que j'avais de mon sort.

Quand finalement nous arrivâmes à destination j'aurais été incapable de dire si ce que je venais de vivre s'inscrivait dans une réalité tangible, dans un monde de chair et d'os en trois dimensions ou si tout simplement je m'éveillais d'un songe.

Livre trois

Miracle à la cour du roi

– Vous avez souvent parlé de cette humanité du Moyen Age occidental où l'individu se sait entouré d'une multitude de créatures invisibles, protégé par les anges, guetté par les démons, menacé par les morts.

– Il n'y a pas de frontière entre les mondes visibles et invisibles. Pas de démarcation entre ce qui est sacré et ce qui relève du temporel. Il faut se dégager d'une histoire religieuse telle qu'elle a été pratiquée jusqu'à présent. Il faut ramener les hommes d'Eglise à l'intérieur du groupe et donc mieux voir ce qui les relie aux laïcs de manière inextricable. Et tenter de repenser la place, le rôle, la fonction de ce que nous appelons le religieux à l'intérieur du champ général de l'organisation sociale.

Georges DUBY, entretien avec Michel Pierre
(*Le Magazine littéraire*, novembre 1996)

« *Lorsque l'on arrive à Chambord, et quels que soient la couleur du ciel ou la saison, le temps qu'il fait et même sa propre sensibilité, il se passe quelque chose d'indicible ou d'informulable, qui vous entoure, vous enveloppe à votre insu d'une aura brillante, mettant en branle au fond de chacun des forces secrètes et mystérieuses touchant peut-être à l'élévation de l'âme, à un ailleurs inconnu bien que souvent pressenti, mais en tout cas participant sans nul doute à l'élan organisé d'une antique magie.* »

J'étais toujours couché en travers de mon cheval et par une éclaircie des bois qui le bordaient les tours de l'édifice m'ont sauté au visage.

Nous avions chevauché de nombreux jours sans échanger plus de quelques paroles, la bête sommeillante en moi paraissait assoupie et domptée par la force qui semblait émaner de mon ravisseur. Sur le chemin encore bitumé notre triste équipage a encore croisé des groupes compacts de travailleurs affairés à quelques tâches importantes, depuis un bon moment, depuis notre entrée en Sologne, nous avions plusieurs fois rencontré des gens sur le bord des chemins ayant l'air de mener une vie normale, peut-être occupés à cultiver des champs, ou menant des bêtes aux pâturages, dans une atmosphère, autant qu'il m'était possible d'en juger en me dévissant la tête, ligoté comme je l'étais sur ma mule, franchement moyenâgeuse.

Plusieurs des manants que nous doublions ont eu, en voyant le ténébreux sur son destrier et sa victime derrière, comme un mouvement de recul, et j'ai entendu plusieurs fois sur notre passage des imprécations murmurées, les gens semblaient bizarres, d'un autre siècle, et si une moto n'avait pas dérapé en zig-zag, manquant de nous écrabouiller, j'aurais peut-être cru tout bêtement avoir changé, par la grâce de quelques sortilèges, de temps et d'époque, comme dans ces films où les héros sont soudain projetés à travers le passé.

Autour de nous flottait la trace de milliers d'âmes prestigieuses, fondant sur notre troupe, dansant, environnant la matinée d'étincelles étoilées, et alors une paix comme je n'en avais pas connu depuis fort longtemps est descendue sur moi, m'apaisant tel un enfant à qui l'on rend enfin la petite chiffonnade sans laquelle trouver le sommeil serait impossible.

J'aurais aimé que l'on bifurque vers le château, rejoindre l'enceinte de la cité merveilleuse mais les chevaux ont accéléré l'allure, traversé la grande pelouse faisant face aux portes et l'on a continué vers l'autre partie des bois, vers les biches et les sangliers qui pullulaient, des troupeaux de cerfs et de chevreuils trottinaient dans les taillis, à l'instant où nous allions pénétrer plus avant dans les profondeurs de la forêt un étrange convoi composé d'une fourmi énorme – encore qu'à la réflexion, en me tordant le cou comme un damné, je voyais plutôt la forme extravagante et monstrueuse d'un hippocampe ou d'une salamandre – a coupé la route en amont de nous.

Une salamandre.

La révélation m'a frappé de plein fouet, la salamandre était le symbole fétiche du règne de François Ier. Le cavalier s'est retourné et m'a dit : elle est jolie, hein, on dirait presque une vraie. C'étaient les premières paroles qu'il m'adressait depuis notre arrivée sur le domaine. Les chevaux ont stoppé et il est descendu pour me déficeler.

De la forme qu'avait pris ma vie et des soubresauts empruntés par le destin pour me propulser dans cette espèce de broyeur qui avait composé mon quotidien depuis le début des troubles, je n'avais plus qu'une idée vague et imprécise, et d'ailleurs les contours même de mon être me paraissaient flous et sujets à caution. De manière totalement incongrue, pendant que l'homme me déliait, j'ai essayé de chantonner une chanson idiote et enfantine, *Au clair de la lune*, qui aurait pu me permettre de me connecter au passé, à mon passé, de jeter in extremis un pont entre ce qui m'avait constitué et ce que j'étais en mesure de devenir, mais rien n'est venu sinon le goût étrange d'un ailleurs incommensurable et mystérieux, qu'un flux s'ingéniait à creuser à l'exact centre de mon corps, quelques centimètres sous l'emplacement de mon plexus solaire.

Nous étions en bordure de la forêt, il y avait un mur, troué de ce qui devait auparavant servir de grille d'enceinte, on apercevait d'anciens soubassements à demi démolis, peut-être d'un château ou d'une église, auxquels une maison proprette était adossée, une maisonnette de garde forestier, j'ai imaginé François Ier venant en visite, surveillant son chantier et à travers le léger brouillard qui enveloppait la prairie, son fantôme m'a souri.

L'homme m'a poussé en avant, après avoir chuchoté quelque chose à une vieille qui était sortie en nous entendant arriver, le sol était labouré par le passage des sangliers, à l'exception de la grande prairie entourée d'une clôture, au bout d'un escalier qui descendait s'ouvrait une cave fermée par des barreaux comme la porte d'une prison et dans laquelle mon gardien m'a poussé, toujours sans ménagement, mais sans animosité non plus. Du fond de l'obscurité, j'ai senti des yeux qui me fixaient, la cave n'était pas très grande et abritait déjà bon nombre de prisonniers.

Le bouillonnement qui m'habitait a paru redoubler d'ardeur, je n'ai trouvé ni la force ni l'envie de dire bonjour ou de tenter la moindre civilité, les autres captifs n'ont pas non plus ouvert la bouche et j'ai maladroitement trouvé une place dans un coin, au milieu de la terre froide et des crottes de blaireaux, dans un dénuement vague et hébété, sans bien arriver à réaliser où j'étais ni à rassembler suffisamment mes pensées pour tenter une synthèse ou un point de la situation. Plusieurs jours se passèrent ainsi, sans que mon enchaînement, le temps passé sans manger autre chose qu'un brouet immonde servi par la mégère, ou la proximité puante de mes nouveaux compagnons arrivent à m'affecter, j'étais ailleurs, devenu autre par la magie du Serpent, du démon, de l'être qui s'était présenté sous ce nom, en contact avec un ailleurs improbable où évoluaient les anges, les créatures magnifiques et les succubes, un ailleurs où les basses vicissitudes de notre plan d'existence ne pouvaient bien sûr plus m'atteindre.

Mon apparence extérieure devait être effrayante parce qu'aucun des malheureux qui partageaient mon sort dans cette oubliette infâme n'a osé me demander quoi que ce soit ou même s'approcher. Vers le milieu de la dixième nuit, dix nuits passées dans la fosse, mais qu'était-ce pour moi dorénavant la pesanteur du temps, il m'a brusquement semblé qu'une force incroyable cherchait à me tirer vers le centre de la terre et je me suis mis à hurler, comme si un génie m'avait soudain collé sur la dalle d'un aimant surpuissant pour m'arracher la moelle de ma vie, pour en faire sortir le mal, mais en tentant de détacher ce démon chevillé à mon âme à la manière d'un parasite impur, l'inverse se produisait, c'est mon squelette entier qui se déchirait, ma chair qu'on menait au supplice, jusqu'à ce que le matin paraisse et que le monstre souterrain me quitte enfin, me laissant épuisé et meurtri, laminé par une souffrance aiguë, ma vie n'était plus qu'une plaie sanguinolente, toute pitié pour moi-même avait disparu, restait seulement le vague espoir que cette marche forcée s'arrête un jour, que ma tête rencontre l'oreiller et que je puisse, en m'engouffrant dans une nuit qui n'aurait jamais de fin, dormir jusqu'au néant.

Malheureusement le soir l'attraction se renouvelait, réplique d'un autre type de ma course avec la sorcière et le chien invisible, sauf qu'il s'agissait maintenant des profondeurs de mon corps, chaque molécule, chaque atome de cette incarnation dont j'étais forcé, au gré des tourments, d'endosser la sensibilité n'avait d'autre choix que d'être passé au crible du rayon X géant dont me bombardaient avec acharnement les esprits des profondeurs.

Un matin, alors que mes condisciples se répandaient en imprécations à chaque apparition de la vieille comme quoi déjà ils étaient prisonniers et esclaves mais que par pitié on les débarrasse du monstre, de l'horreur, qu'ils étaient en train de devenir fous, mon kidnappeur à l'air étrange s'est remanifesté, toujours avec son regard gris mi-figue mi-raisin à la Gandalf de contrebande et m'a fait sortir, au grand soulagement des autres qui l'ont insulté, j'avais beau invoquer le Serpent, le supplier intérieurement d'intervenir, de me libérer et de pulvériser les manants, la vieille et les chaînes m'entraînaient, je restais la victime de ce sort funeste qui m'accompagnait, j'ai jailli à l'air libre et le sorcier m'a passé autour du cou un lasso de cuir, mon pacte avec le démon n'était qu'un marché de dupes, sur toute la ligne j'étais perdant.

– Doucement, m'a intimé l'espèce d'Inca, marche dans le pré sans t'énerver.

La vieille, qui se tenait derrière en retrait, a glapi qu'il ne fallait pas que je revienne, qu'il fallait trouver une solution, que ce n'était pas la peine de se casser le cul à trouver de la main-d'œuvre de réserve pour la bousiller après avec des saloperies surnaturelles, et mon nouveau maître l'a envoyée paître en murmurant une banalité.

Sitôt dans la prairie je me suis élancé, tel un cheval fougueux manquant d'exercice et tout prêt à caracoler fièrement au bout de sa longe, mais j'avais surestimé la longueur du lasso et le nœud coulant est venu me stopper net dans mon élan, le démiurge m'a tiré vers le fond, vers une petite porte en ogive qui restait dans les murs écroulés et j'ai dû me déshabiller et descendre un escalier menant à une source, à un petit bassin rempli d'eau glacée, dans lequel il m'a ordonné de me plonger, nu et transi, en me flanquant un coup de bâton pour que j'accélère l'allure.

Le froid polaire dans lequel j'ai dû m'immerger, sidéré par tant de cruauté alors que par instants j'avais envers cet homme, de façon complètement irration-nelle, comme des bouffées d'amitié, de respect et même d'affection, malgré son indifférence affectée et tout ce que j'avais subi, avait quelque chose de révulsant, c'était trop, plus que ce que j'étais prêt à accepter, tu es allé trop loin j'ai pensé très fort, tu as abusé de moi au-delà de ce qu'il t'était permis, en même temps que je faisais volte-face, je l'ai poussé et mon élan était tellement puissant, motivé par une révolte qui dépas-sait de très loin ce qu'un salopard aux cheveux argentés avec un look de magicien à deux francs cinquante pou-vait encaisser, qu'il est tombé les quatre fers en l'air, la corde du lasso a cassé net et je suis parti en sprintant comme un dératé, poursuivi par la vieille qui braillait et la voix du satrape la couvrant : n'oublie pas que tu es peintre, quand cela sera le moment dis que tu es peintre !

On m'avait refusé la mort.

L'enfer m'était acquis et pourtant je n'avais pas la

176

patience d'attendre. Je me suis blessé, coupé sur les branchages et les taillis, sans ressentir la moindre douleur, et dans chaque combe que je traversais, au fond de chaque étang, se nichait l'auréole étincelante d'un elfe ou d'une fée. Je progressais dans le décor fantastique d'un flipper géant, tout ceci n'était qu'un jeu, j'en étais maintenant certain et à l'idée d'avoir enfin percé le mystère j'étais pris d'une crise de fou rire.

On m'avait refusé la mort.

J'étais coincé ici, sans espoir de trouver la porte.

Des pans de moi se détachaient, des strates entières qui tombaient, se mélangeaient aux feuilles jaunies, glissaient vers les fossés pleins d'eau et dans un bruissement subtil, retournaient dans la terre.

On m'avait refusé la mort et j'étais toujours vivant.

Les cris des chiens m'ont fait forcer l'allure.

J'ai eu l'intuition fulgurante que ce qui se passait ici-bas était en concordance directe avec un ailleurs perdu dans des hauteurs inaccessibles, que chacun de nos gestes mettait en branle une mécanique subtile qui avait dans les sphères son pendant exact et que nous étions liés à quelque chose dont le fonctionnement et les enjeux nous dépassaient largement.

– Sus, sus, ce n'est pas un sanglier, il est par là !

J'ai hésité une seconde à plonger dans l'étang à moitié recouvert de glace, mais la meute était déjà autour de moi, à aboyer comme des cinglés et à vociférer derrière.

– Holala, s'est exclamé quelqu'un tout déçu, c'est pas un cerf, c'est encore un pue-la-merde !

Les cabots devaient jaillir directement des profondeurs de l'enfer tout en étant dressés pour neutraliser le gibier sans l'abîmer parce que leurs dents ont claqué en cadence, à trois millimètres de mes pauvres mains que j'agitais dans un mouvement de recul désespéré, des molosses aussi gros que des ours, que la valetaille accompagnant les chasseurs a sifflés, sans beaucoup d'effet d'ailleurs, un des monstres m'a donné un coup de patte et mon avant-bras s'est décoré d'une estafilade vermillon. Le gros de la troupe était à pied, ceux qui paraissaient être les seigneurs, ou les caïds, juchés sur des chevaux, affichaient une morgue propre aux castes supérieures à qui l'on aurait dû naturellement déférence et obéissance. Un peu sur le côté, un homme plus grand que les autres gardait le silence pendant que ses acolytes exprimaient bruyamment ce qu'ils allaient faire de moi, l'amusement que je pouvais leur procurer.

— Pique-le, a proposé un crétin, je suis sûr que d'ici je le transperce avec mon pieu de part en part.

J'aurais pu, soulagé enfin, approuver cette issue et me rendre les bras en croix, résolu à une mort douloureuse, certes, mais libératrice, toute ma raison me poussait à cela, à abdiquer, en souriant vaguement que, tant pis, les choses s'arrêtaient maintenant, que c'était terminé et que c'était bien comme ça. J'étais prêt pour la torture, prêt à me faire broyer par les massues barbares, pendant que les chiens me déchiquetteraient, brisé et encore vivant, mais à la place de cette tranquille acceptation j'ai vu mon corps se précipiter et s'agenouiller devant l'homme silencieux qui me toisait, l'air absent, du haut de son cheval, et se mettre à l'apostropher, je suis peintre messire, et il n'est nul grand roi qui n'ait besoin d'un artiste pour magnifier sa gloire et sa légende, c'est Dieu qui m'envoie et je sais que vous m'attendiez.

Il y a eu un moment de stupéfaction, tout le monde est resté coi, les chiens ont continué d'aboyer mais quelqu'un les a fait taire.

— Tu es peintre ? a demandé le cavalier. Tu es peintre mais comment savais-tu que j'étais Obsül, que j'étais le roi ?

Au loin une moto arrivait en pétaradant, la voix du Serpent s'est remise à grésiller, ou peut-être la voix du vieux qui m'avait kidnappé, ce-ne-sont-pas-des-chosesqui-peuvent-être-évoquées-ici, et j'ai répété tel un enfant appliqué : ce ne sont pas des choses qui peuvent être évoquées ici, messire, les laissant tous les yeux écarquillés et incapables de la moindre réaction, apparemment j'avais touché dans le mille.

Sur le chemin du retour personne n'a pipé mot, on avait réquisitionné une monture et un gueux s'était dépouillé de ses vêtements que j'ai pu enfiler pour cacher ma nudité honteuse. Obsül ne disait rien, perdu dans ses pensées, mais l'on m'a laissé chevaucher à côté de lui, lorsque le joyau a scintillé à l'horizon, ses tours blanches réfléchissant les quelques rayons de soleil, mon cœur s'est mis à battre plus fort et j'ai eu l'intuition presque certaine que là, réellement, à cette minute, et par la grâce d'un sort aussi mystérieux que puissant, mes épreuves venaient de prendre fin.

Devant l'enceinte du château la troupe s'est divisée, certains se sont occupés des chevaux, dont on m'a fait descendre en me disant de suivre Obsül, la pelouse était couverte de tentes, des grandes de l'armée mais aussi des toiles de camping classiques mélangées à des abris de fortune, l'ensemble donnant vaguement une impression moitié d'un début de bidonville, moitié d'un campement bédouin, à la vue de l'Empereur quelqu'un a sonné un cor de chasse et dans la petite cour intérieure des gens se sont précipités pour savoir s'il n'avait besoin de rien, des serviteurs inquiets de savoir si la battue avait été bonne et s'il était content, ne provoquant rien d'autre qu'une réaction d'agacement, vu son air mauvais et préoccupé nul n'a songé à m'interdire l'accès au saint des saints.

En m'engouffrant dans l'escalier qui trônait au milieu du rez-de-chaussée, aspiré par la double hélice des marches comme par un tapis roulant, j'ai songé qu'il devait s'agir des premiers rouages d'un engrenage compliqué, peut-être le cœur d'un gigantesque vaisseau spatial symbolisé par le château dont l'écho interne devait susciter « *la grandeur et l'élévation inconsciente de l'âme, des couches sombres de la terre vers les nues éclatantes* ». J'ai trottiné à la suite d'Obsül jusqu'au deuxième étage, où se trouvaient les appartements royaux. Un peu partout une armée de fourmis s'affairait, chargeant les cheminées de bûches immenses, portant du linge, des plats garnis de victuailles qui m'ont fait au passage tourner la tête et défaillir, entre a dit Obsül, si tu mens je te tue.

Il avait des tatouages sur la main, des tatouages comme on se fait en prison quand on a seize ans, les points du voyou et mort aux vaches, des tatouages minables sur des mains énormes, quand il parlait on voyait une dent en or qui brillait, au-dessus du lit à baldaquin trônait un portrait de François Ier et malgré son corps rustaud, je lui ai trouvé avec le grand roi comme un lien de parenté.

– Tu as entendu, il a répété, je te tue !

Je te tue, comme si un seul instant ce genre de menace pouvait avoir encore un effet quelconque, m'effrayer ou infléchir mon comportement, je n'ai pas pu m'empêcher de rigoler, peut-on tuer le Serpent ? peut-on tuer celui pour qui un voyage en enfer n'est plus qu'une petite plaisanterie sans importance ? et tout fort j'ai répondu non, il n'est pas question que tu me tues, il est question que par mes tableaux je magnifie ton règne, que j'embellisse ce château de tes portraits, rien d'autre pour l'instant. Le monde, la vie m'apparaissaient soudain légers, presque pétillants, une plaisanterie, un jeu dans lequel j'excellais, où je pouvais à ma guise me promener. Quelqu'un a surgi de derrière une tenture et Obsül lui a fait signe d'approcher, comme un homme qui se noie, qui perd pied, et ils se sont murmuré à l'oreille des choses graves me concernant.

Je voyais des traits de lumière, des couleurs, qui s'agitaient et se bousculaient, les personnages curieux qui au cours des siècles avaient peuplé le château. Un apaisement complet m'avait envahi, je me sentais calme et sûr de moi. Le nouvel arrivant m'a regardé et son visage n'exprimait rien de particulier, ni animosité, ni sympathie, ses yeux m'ont semblé phosphorer d'un éclat rouge et lumineux, qui s'est estompé lorsqu'il s'est mis à parler, Obsül pense que tu mens peut-être, je l'ai convaincu de nous laisser nous occuper de toi, si tu dis vrai tu deviendras le peintre officiel du Nouveau Royaume, si tu mens tu mourras.

Nous avons réemprunté les escaliers, pour monter encore plus haut, dans une des pièces de gigantesques miroirs avaient été posés, pratiquement du sol jusqu'au plafond et, alors que personne hormis le guide et moi-même ne se trouvait dans leurs réflexions, j'ai vu, s'agitant dans le tain des glaces, une foule de gens affublés de costumes bizarres, semblables à la vision que j'avais tout à l'heure dans la chambre d'Obsül, une sorte de bal des vampires ayant traversé les siècles et dont les psychés monstrueuses et dorées avaient gardé la trace.

De la terrasse l'activité fébrile qui s'agitait plus bas prenait un relief particulier, avec l'immense champ de tentes et les serviteurs courant et s'apostrophant, les chevaux et les motos, on aurait pu penser que nous étions à la veille d'un formidable Son et Lumière, d'une reconstitution historique sans précédent, un de ces concerts de rock comme en connaissait la grande époque des hippies, mais qu'en aucun cas la terre, le monde entier, n'était depuis de longs mois la proie du marasme et de l'apocalypse, Chambord à l'abri de ses murs se reposait sous la protection bienveillante des dieux.

A force de grimper nous avons fini par parvenir aux combles d'une des tours, immenses et suffisamment vastes pour loger un régiment et qui visiblement avaient été aménagés dans ce sens, l'isolation de la charpente avec de la paille, la lumière qui entrait par les grandes fenêtres et là encore les feux qui ronflaient, tout concordait pour établir une douceur tranquille, un lieu de calme, en opposition avec l'effervescence du château, plusieurs personnes nous attendaient, dont le vieux aux cheveux gris qui m'avait pris en charge chez les paysans, en le voyant j'ai eu un mouvement de recul mais il a fait c'est bon, c'est fini la crise, maintenant tu peux te détendre et les autres m'ont souhaité la bienvenue, bienvenue au club, bienvenue parmi nous, en venant à tour de rôle me donner l'accolade et me serrer contre leur cœur.

J'étais un mage.

Ou un sorcier.

Retrouvant après des siècles d'errance mon groupe, mes amis.

Les nuages noirs accumulés, les nœuds inextricables s'évaporaient soudain pour laisser place à une buée chaleureuse et rassurante.

Content de te retrouver.

Ça fait plaisir de te revoir.

Je me suis assis sur un des fauteuils disposés autour d'une des deux fenêtres, l'esprit traversé d'images rocambolesques, j'étais un mage, ou un sorcier, je me voyais avec un chapeau pointu et un balai, organisant devant des chaudrons des sabbats monstrueux, mais l'un de mes nouveaux partenaires m'a détrompé au bout d'un moment, en me disant attends, c'est un petit peu plus complexe que ça, on n'est pas là pour faire tourner les tables.

J'étais en proie à une vive exaltation, le vieux m'a redit de me calmer, que maintenant tout allait bien se passer, mais qu'il fallait que je me calme, tous accroupis dans ce grenier moyenâgeux, meublé comme un bureau d'intellectuel au fond d'un appartement du sixième arrondissement, ils avaient une touche plus que saugrenue, si c'étaient des sorciers ils n'en avaient ni l'aspect ni l'aura, je me suis forcé à respirer doucement, alors que tout mon corps était parcouru de poussées violentes, telle une cocotte-minute sur le point d'exploser, c'est assez compliqué a temporisé celui qui avait des lunettes, c'est assez compliqué et il faut que tu nous fasses confiance, je me suis levé, puis rassis, pendant qu'à voix basse le vieux commençait les explications.

Le monde était étrange, et l'univers avait des failles. Les cataclysmes qui s'étaient abattus sur la Terre n'étaient qu'un passage, une scène de plus dans un théâtre cohérent qui n'avait d'autre but que l'émancipation et la libération de ses acteurs.

Chacun devait suivre un chemin particulier au sein d'un Tout plus vaste, chacun avait des responsabilités envers soi-même mais s'intégrait aussi dans un organigramme où les interactions entre les différents membres étaient multiples.

Beaucoup de choses se passaient à notre insu, mais il était possible de donner du sens à une grande partie de ce qui arrivait, pour peu, bien sûr, d'avoir accès à un minimum de lumière.

Pendant qu'il me parlait en chuchotant je voyais les veines de son visage, un peu rougeaud, qui saillaient sous la peau, vaguement translucide comme on imagine la peau des bouchers, le nez alvéolé, certainement qu'il avait dû boire, au moins picoler un peu, les cheveux grisonnants et de gros sourcils broussailleux, avec des poils aussi dans les oreilles, qui dépassaient, détail donnant à son discours un tour comique, ou en tout cas touchant. Ce tableau précis s'affichait dans une platitude parfaite, une banalité totalement objective, une réalité s'offrant à l'observation sans aucune de ces distorsions qui parasitent habituellement notre regard, se détaillant à la manière de ces poèmes en prose qui, multipliant les points de vue et décortiquant chaque aspect des choses, l'épuisant, une fois énoncées cette simplicité et cette évidence, donnaient au réel un aspect d'autant plus inquiétant et effrayant qu'il semblait sans mystère.

[...] Il y a entre le ciel et la terre un autre lien que la pluie, les nuages ou le vent, il s'agit d'une matière étrange, d'une substance diffuse et invisible que l'on pourrait assimiler à de la poussière, partout présente et pourtant que l'œil nu ne peut jamais percevoir, ce sable transparent les sorciers en sont en partie dépositaires [...].

Un de mes nouveaux compagnons s'est raclé la gorge bruyamment pendant que le vieux continuait sa litanie, et j'ai ressenti physiquement la nécessité d'appartenir à cette vibration impalpable, à cette sorte de sel qui pimentait et animait la majorité des éléments.

J'avais survécu là où personne n'aurait pu survivre.

Et ce chemin de croix obéissait à une nécessité et s'était organisé selon des règles précises.

La conscience que j'avais de moi-même devenait soudain soit floue, soit extrêmement complexe, soit au contraire d'une monotonie presque minérale.

Je n'entendais plus rien, j'avais des bouffées de couleurs qui venaient s'incruster dans les parties de mon esprit qui fonctionnaient encore.

– Ne t'endors pas, disait le vieux, ne t'endors pas, écoute-moi !

Et là-dessus il m'a flanqué un grand coup avec le plat de la main entre les omoplates.

De nouveau ma vision semblait frappée d'une acuité particulière, le bois de la charpente, les reliefs des poutres, la texture des murs tapissés de paille et les pierres recouvertes de graffitis, vieux pour certains de plusieurs siècles, François Boniface 1680, Marc-Ange 1961, ressortaient nimbés d'une brillance surprenante, comme si une main géante les avait astiqués jusqu'à l'épuisement. Regarde, ne t'endors pas, regarde. Le vieux m'a soulevé la tête en me saisissant le menton, dans l'enchevêtrement du faîtage un des participants avait dû grimper sans que j'y prête attention, regarde, regarde bien, j'ai vu une corde se balancer, une corde avec un nœud coulant, regarde, regarde bien, le type s'est jeté dans le vide, mû par une adresse effarante il a réussi à accrocher la boucle avec sa tête, et l'entrave, tirée par le poids de sa chute, s'est tendue brusquement, l'étranglant avec une grâce parfaite, sous le choc ses vertèbres ont exhalé un craquement affreux, net, sans appel, comme le bruit d'un bois mort fracturé et j'ai ressenti au creux de l'estomac un soubresaut glacé, un jet liquide et tétanisant, les yeux du pendu me fixaient comme deux boules de billard phosphorescentes qui me souriaient et nous sommes restés dans un silence complet un temps qui m'a paru infini, puis le vieux a dit allez ça suffit pour aujourd'hui, le nœud coulant s'est dénoué aussi facilement que la corde truquée d'un fakir et le pendu est retombé à terre, sur ses pieds, en faisant à l'adresse du public ravi une grimace et un petit salut de remerciement.

Je me souviens ensuite que l'on m'a fait descendre dans une grande pièce où trônait un lit à baldaquin, avec des tableaux, des trophées de chasse et tout un capharnaüm allant de disques de rap à une télé et des cassettes vidéo, Obsül trônant au milieu, visiblement complètement raide, d'ailleurs il y avait des seringues à côté du lit, le vieux a dit c'est bien celui qu'on attendait, il n'a pas menti, il te le prouvera bientôt, tu as maintenant un peintre. Le colosse s'est levé et m'a serré dans ses bras, j'ai cru qu'il allait m'étouffer, il a murmuré je suis content que tu sois là, tu étais le dernier élément manquant, et là-dessus j'ai réussi à me dépêtrer et on est repartis avec le vieux, dans un dédale d'étages, d'escaliers, de chambres et de petits couloirs, vers un appartement où j'ai pu me flanquer sur un lit et dormir jusqu'au lendemain.

Dans les jours qui suivirent j'appris de nouvelles choses sur Chambord, comment la société qui s'y trouvait maintenant s'était organisée, quels étaient les gens échoués là et pourquoi Obsül avait pris le pouvoir, les sorciers n'étant arrivés qu'ensuite, sauf un, Jean-Gilles, déjà présent, qui était guide au château avant les abîmes. Obsül venait d'Orléans, ou de Tunisie ou encore d'un pays de l'Est, à moins qu'il n'ait été d'origine gitane, là-dessus s'entretenait un petit mystère. Il avait trouvé refuge à Chambord après que la majorité des autochtones eurent été décimés dans l'explosion de la Centrale, en deux temps, trois mouvements il avait investi le château, mis en coupe réglée les alentours et fait sa loi avec la complicité des chasseurs locaux qu'il avait rétablis dans leurs prérogatives semi-guerrières – chasser le sanglier et le cerf à travers le domaine – et des bandes venues des grandes villes qui avaient réussi à se traîner jusqu'ici. Il s'était autoproclamé roi et les gens l'avaient reconnu comme tel, contents malgré la barbarie du règne de retrouver ne serait-ce qu'une parodie de fonctionnement social.

Sur le domaine les choses s'étaient structurées de manière extrêmement hiérarchique, les alentours, là où s'érigeait le campement, regroupaient les bandes nouvellement arrivées, ceux n'ayant pas avec Obsül de cousinage proche ou d'amitié particulière, les quelques maisons se dispatchaient entre les chasseurs et d'anciens habitants du village, dans la première enceinte du château, à l'endroit où auparavant on avait dû vendre des cartes postales et des guides touristiques, se tenait le logement des domestiques et de la garde rapprochée, et enfin le château, le saint des saints, hébergeait la cour, la crème des collaborateurs, amis, complices ou intervenants de poids dans l'organigramme royal, en tant que nouvel artiste du royaume j'avais naturellement eu droit à un traitement considéré ici comme le nec plus ultra, une résidence, et non des moindres, dans les parages immédiats du souverain.

On m'avait réquisitionné un appartement, dans une

des ailes situées au-dessus de ce qui avait été la chapelle, et une grande galerie pouvait me servir d'atelier et d'endroit d'exposition provisoire, peintures et pinceaux étaient apparus comme tombés du ciel, il ne me restait plus qu'à me mettre au travail, j'étais de nouveau face à un chevalet, légèrement abasourdi, à tracer sur une toile les prémices d'*Obsül à la chasse*, *Obsül sur son trône*, *Obsül rentrant à Chambord*, de nouveau face à la Grande Œuvre à laquelle j'avais toujours aspiré.

J'avais changé. Si par un effort de mémoire j'essayais de me juxtaposer à celui qui avait hanté Paris à la recherche de quelques rapines malhonnêtes j'avais la nette impression que non seulement il s'agissait d'une personne autre mais encore que je ne trouvais aucun point d'attache ou de sympathie me permettant d'établir un lien quelconque. Le personnage que j'avais été dans le passé était devenu pour moi un étranger.

La première activité collective à laquelle on me convia, dans ce grand bordel que représentait la cour d'Obsül, fut une chasse, condition sine qua non à un adoubement, la chevalerie étant redevenue le modèle en vigueur, une chevalerie évidemment bizarre, transformée, à la mode de cette nouvelle ère qui semblait s'annoncer, celle d'un chaos et d'une insensée noirceur, où les rites d'admission participaient autant d'anciennes règles païennes que d'une bureaucratie communiste et désuète.

Il fallait rédiger une demande auprès du Conseil, qui en examinait le bien-fondé, le Conseil se composait d'une dizaine d'ivrognes et de drogués amis d'Obsül, puis, cette requête étant acceptée, ce qui pouvait prendre des mois comme cinq minutes, satisfaire un certain nombre de critères ayant trait entre autres au courage, à la loyauté, il fallait aussi avoir été désigné par Allah, ou être en cheville avec un des membres du Conseil, ou dans les petits papiers d'un influent quelconque, et après venaient les épreuves, différentes selon le cas, pour ma part, et au vu de ce qu'en avaient décidé les cieux, consultés par l'oracle de la cour, une participation à une chasse, une confrontation avec la salamandre et un serment prêté en bonne et due forme à Obsül, à Chambord et à Dieu, feraient sans nul doute l'affaire.

J'étais donc ce matin-là sur le pied de guerre, dans le froid piquant et au milieu du brouhaha de notre petite troupe mal réveillée, la chasse partait des pavillons ayant abrité les gardes forestiers, exactement de la même façon que lorsque les présidents en exercice accompagnés de quelques personnalités de prix venaient le temps d'un week-end s'adonner aux joies du safari. Un bataillon conséquent de gueux étaient requis pour rabattre le gibier, dont je devais faire partie, c'était la règle, d'abord rabatteur, et après seulement, si la grâce vous touchait, chevalier, chevalier d'Obsül, défenseur de la nouvelle cause et pilier de Chambord. Nous nous sommes mis en cercle autour d'un majordome qui égrenait l'appel, nom par nom, pendant que sur son cheval le Maître nous toisait, nous ses sujets, soumis à son bon vouloir, à sa volonté toute-puissante.

N'eût été le caractère sidérant de la scène j'aurais trouvé ça franchement ridicule.

Maillard. Choukroun. Azzi. Carolus. N'Diallo. Zadoun. Malki. Zegdana. Bader. Michel.

A chaque fois la personne concernée levait la main, souvent maussade encore à moitié endormie. Mabroun. Choumi. Le majordome a répété Choumi, une fois, deux fois, et un balèze a fini par lever la main, il est là Choumi, il est là, t'énerve pas mon grand. Le silence s'est d'un seul coup fait total, Obsül a fait avancer son cheval de quelques mètres, sors il a demandé au balèze, sors du rang s'il te plaît.

Il se passait la main sur le visage, comme quelqu'un qui a shooté trop tôt le matin et qui, du fond de cette poisse que procurent les opiacés, a du mal à vraiment distinguer les autres. Le type s'est avancé, arborant une expression butée et sur ses gardes, le coin d'un de ses yeux était tatoué et pas l'autre, accentuant une géométrie anthropomorphique déjà ingrate, je t'écoute a dit Obsül en sautant de sa monture, je t'écoute, explique-moi ce que t'as sur le cœur, mais le malheureux Choumi est resté coi, devant n'importe qui il aurait fait figure d'affreux, un costaud, mais à côté d'Obsül il paraissait désavantagé, en situation d'inégalité criante. T'as dit que j'étais une flippette, t'as dit que tu m'enculais, que t'enculais Obsül, tu l'as dit devant tout le monde et tu t'es plaint qu'au château on avait du feu pendant que vous vous creviez de froid.

On aurait pu penser que l'autre allait se déballonner mais il a quand même eu le temps de murmurer non, c'est pas vrai, j'ai juste dit que plein de came comme t'étais t'avais pas besoin d'autant de cheminées qui marchent en permanence, avant que le poing d'Obsül ne lui enfonce le crâne, l'étourdissant net, personne ne manque de respect à Obsül, personne, et il l'a tiré jusqu'à la baraque aménagée en boucherie, on devait y découper le gibier, il l'a couché sur un établi, on pouvait suivre l'action à travers les vitres, et il lui a scié la tête avec une scie de boucher.

Il lui a scié la tête et il est ressorti en la brandissant à la ronde. J'aurais dû être horrifié, ou me dire quelle horreur, tout ce que j'ai réussi à songer c'est que ça allait donner un tableau extraordinaire.

Un des gardes a sonné dans sa trompette, indiquant le signal du départ, les chiens jouaient avec la boule sanguinolente qu'Obsül avait balancée par terre, longue vie, longue vie à Obsül, et nous avons tous repris en chœur, longue vie à Obsül, longue vie. Les nuages blanchâtres se sont striés de gros rouleaux lumineux, provoquant au fond de ma conscience une réminiscence curieuse dont j'avais du mal à analyser la provenance, comme si le doigt de Dieu avait crevé la nappe étale d'un ciel tout blanc, le doigt de Dieu dans un ciel tout blanc ? a ricané un rouquin à côté de moi, donnant à mes pensées intimes un écho tangible, le doigt de Dieu dans une mare de sang, oui, je crois que c'est plutôt ça la vérité. La troupe s'est ébranlée, c'est bien dommage qu'on n'ait pas nos flûtes a fait remarquer un de mes collègues rabatteurs à son voisin, apparemment les deux devaient être du coin, pas des brigands venus des villes portés par les pillages, sur le moment je n'ai pas compris de quoi ils parlaient, c'est bien dommage, un coup de balle à sanglier et hop le problème était réglé, ce qui a fait ricaner son compère, t'as raison, c'est vraiment bête qu'ils aient confisqué nos armes, c'est vraiment pas pratique qu'on n'ait plus nos fusils. Il m'a semblé qu'ils rigolaient en disant ça, comme des mômes complotant un méfait dont le poids du secret est si prégnant qu'ils ne peuvent s'empêcher d'y faire au moins allusion.

Après une petite heure de marche dans les profondeurs du parc la troupe s'est séparée en plusieurs bataillons, le mien, celui des rabatteurs, reconnaissable au petit gilet de chantier fluorescent devant servir à effrayer les animaux, s'est déployé sur une longueur de plusieurs centaines de mètres, encadré par quelques professionnels vêtus de kaki, Obsül a disparu dans les taillis au galop, entouré de ses conseillers spéciaux ès chasse, pour beaucoup d'anciens gardes forestiers de Chambord, et les maîtres-chiens ont couru derrière, en quelques secondes la forêt jusque-là silencieuse – nous avions eu pour consigne de cheminer en silence pour ne pas effaroucher les bêtes – s'est retrouvée prise dans un faisceau croisé de cris et de hurlements, allez, allez les cochons, attention grand animal à gauche, grand animal devant, nous devions taper en cadence et vociférer, poussant vers les filets de l'ogre sangliers, chevreuils, biches et autres cervidés.

C'était répétitif, contraignant et un peu fatigant. Au loin on voyait passer et repasser la cour, caracolant et ruant après un futur zigouillé malchanceux débusqué dans les fourrés, allez, allez les cochons, un gros bestiau s'est carapaté juste devant moi, j'aurais pu avoir peur ou trouver cette chasse cruelle, la vérité c'est que là encore j'étais envahi par une indifférence blasée, un détachement comme je n'en avais jamais connu de ma vie.

Au fond d'un fossé plein d'eau des feuilles étaient en train de pourrir, des feuilles de chêne, aux différents stades de la décomposition, entassées par strates, les plus vieilles se confondant déjà avec l'argile un peu dissoute, la limpidité de l'eau permettant une vision acérée de chaque particule, de chaque atome, donnant un tableau scintillant et cristallin, comme si tout dans une parfaite immobilité était malgré tout en mouvement.

– Grand animal, grand animal devant.

J'ai à peine eu le temps de voir de quoi il s'agissait, un cerf fonçait sur nous, poursuivi par la chasse et Obsül lancé au triple galop sur son percheron de compétition et les chiens qui couraient en aboyant.

Tout le monde a convergé, en hurlant, restez en ligne putain, restez en ligne, le cerf s'est jeté de tout son poids dans le filet tendu, effectuant un soleil parfait pour retomber lourdement sur un des rabatteurs qui s'était précipité, taïaut, taïaut, Obsül a sauté sur sa prise, suivi par les autres gardes-chasse, dans un rodéo indescriptible, j'étais un peu à l'écart, tapant mollement sur mon bâton, grand animal, grand animal, les bois du cerf pointant vers le ciel me paraissaient comme un signe supplémentaire m'invitant à une élévation, m'indiquant sans nul doute la destination ultime. Les causes et les raisons véritables de tout ce raffut ne pourraient qu'être dissimulées derrière un brouillard opaque dont il fallait percer le mystère.

J'aurais voulu que le vieux soit là, je me suis assis sur une souche, soudainement fatigué, troublé et vaguement inquiet, un petit roudoudou perdu dans une grande forêt sombre où de méchants géants égorgent les agneaux innocents, tout m'est revenu en avalanche, le visage de Marianne et l'odeur qu'il y avait dans notre appartement, et presque sans m'en rendre compte des grosses larmes ont commencé à dégouliner le long de mes joues.

Peut-être étions-nous en train de retourner au commencement, à la Genèse, là où tous les points convergent et qui est à la fois le début et la fin, comme les feuilles en train de pourrir dans leur petite mare d'eau croupie, au milieu du silence de la forêt et des jours calmes se dévidant à l'infini.

– Attention, attention, cochon blessé derrière !

Le cerf était à peine achevé qu'un nouveau participant à ce grand jeu rigolo surgissait des profondeurs, poussé par l'autre groupe de rabatteurs et, rendu fou par un coup de masse qui lui avait cassé la mâchoire lors d'une précédente sortie, il nous chargeait comme un bulldozer ivre, dédaignant les chiens, se contentant d'en écrabouiller un au passage qui retombait en piaillant, et piquant droit sur Obsül qui, l'instant d'avant, venait juste de s'inquiéter du fait que j'étais avec les rabatteurs et pas avec les chasseurs, ce qui d'après lui rendait caduque mon initiation, pour être chevalier il faut avoir tué, et pour tuer il faut chasser. Tout le monde s'est trouvé pris de court, en une seconde Obsül était à terre, boulé par la masse et entouré d'un vent de panique et de cris, comme il était en train de s'approcher de moi quand l'animal l'avait culbuté j'étais tout près, à quelques mètres à peine et qu'un des gardes armé d'une lance gesticulait sans rien faire, calmement j'ai emprunté son arme et j'ai piqué au cœur de la bête, retrouvant l'élan qui m'avait fait occire le taureau, dans cet intermède bizarre qui me paraissait aujourd'hui encore plus lointain que ma vie parisienne, si lointain et brouillardeux que je ne pouvais le considérer autrement qu'un rêve de plus. Meurs donc enculé j'ai dit, meurs donc salopard, alors qu'un garde-chasse se jetait sur le dos poilu et l'achevait d'un coup de dague, le tuant net au moment où le groin du cochon cherchait la jugulaire du roi.

En rentrant au château j'ai eu droit aux honneurs réservés aux preux et un des gardes-chasse m'a laissé sa monture, dorénavant Obsül me tenait en haute estime.

La date de mon adoubement définitif s'en trouva avancée, à la fin de la semaine devait avoir lieu une gigantesque fête, donnée pour l'anniversaire d'Obsül et il fut naturellement décidé d'y adjoindre la cérémonie concrétisant mon entrée parmi les véritables piliers de Chambord. En attendant j'étais libre de peindre, de parfaire ma découverte des lieux, de me remettre et de digérer tout ce qui m'était tombé sur la tête en si peu de temps.

A dire vrai c'était un bonheur total de pouvoir baguenauder aux alentours du château, parmi les toiles de tentes des barbares, bien habillé, après avoir mangé à ma faim et une nuit dans un bon lit, c'était d'autant plus fort qu'il y a peu encore la société et peut-être même la terre entière étaient sur le point d'être englouties définitivement et qu'en tout cas j'en avais fait le deuil absolu, j'avais renoncé autant qu'il était possible de le faire, accepté la mort et même plus encore, et maintenant tout d'une certaine façon m'était redonné, une place parmi un ordre peut-être chaotique mais somme toute existant, avec des gens s'organisant et se mouvant dans toutes les directions, insouciants et paraissant avoir instantanément oublié les calamités qui, hier, nous avaient assommés et plongés dans la nuit.

Le vieux et les autres qui m'avaient accueilli, ceux

de la cérémonie du pendu, se faisaient discrets, j'en avais repéré un aux cuisines, un autre s'occupait de l'intendance et le vieux apparemment ne faisait rien, si ce n'est conseiller Obsül et descendre et monter les innombrables escaliers d'un air affairé, à chaque fois que je le croisais il détournait les yeux, ou me demandait sur un ton convenu si mes peintures avançaient, si je n'avais besoin de rien, ou me disait qu'Obsül avait beaucoup apprécié mon courage à la chasse, c'est important la chasse ici vous savez. Par moments, comme dans les bois lorsque le visage de Marianne était revenu se superposer aux scènes moyenâgeuses j'avais des bouffées d'émotion qui resurgissaient, des crises de larmes, et puis cela passait et je retrouvais ce détachement calme qui était dorénavant le mien.

Obsül faisait du trafic d'esclaves, il y avait un peu à l'écart du château un bâtiment abritant les protégées de choix. Toutes les jolies-mignonnes que les émissaires soudards qu'on envoyait battre la campagne avaient rapatriées au fur et à mesure, les filles du cru et les jeunettes, élevées sur place dans l'attente que le fruit une fois arrivé à maturation soit enfin propre à la consommation, étaient stockées là, soit pour le bon plaisir de la cour et de son chef, soit pour être échangées contre des denrées ou du carburant rapiné par les bandes de l'extérieur.

Les champs alentour, à la sortie du domaine, que j'avais vus en arrivant, ligoté sur mon cheval, étaient cultivés également par des serfs, mâles ceux-là, qu'on n'avait même pas besoin d'enchaîner tellement la résignation et le marasme avaient pris le pas sur tout esprit de révolte, on plantait de la pomme de terre, qui accompagnait tous les plats ici et dont on faisait l'alcool avec lequel les barbares se défonçaient sitôt la nuit tombée, en se soûlant à la folie, en criant et en dansant sur la sono gigantesque alimentée par les groupes électrogènes et qui berçait notre sommeil des pulsations de la techno, de ses battements répercutés par les tours, les couloirs, les entresols et l'architecture entremêlée de Chambord et qui parvenait dans ma chambre avec la régularité d'un métronome vaguement inquiétant.

Si à l'état de veille je ne recevais aucun signe visible de la présence pourtant certaine de la sorcellerie et du surnaturel il n'en allait pas de même la nuit. Chaque rêve me révélait de nouvelles pièces, des labyrinthes étranges où j'errais en compagnie du vieux et des autres, où les choses m'étaient expliquées, le sens de ce que j'avais vécu pendant mes épreuves, la manière dont mon esprit s'en était petit à petit trouvé lavé, j'étais au milieu d'un gigantesque capharnaüm rempli d'éléments hétéroclites dont il me fallait faire l'inventaire, une liste sans fin de ce qui me composait, se dévidant si loin qu'en voir le bout était une tâche impossible et pourtant j'y parvenais, dans un élan lumineux et cristallin, et là tout semblait s'évanouir comme une bouffée d'air, le monde disparaissait, je n'étais plus rien.

Dans un autre rêve nous parvenions à une sorte de grotte où s'entassait la réserve d'un immense musée, une collection innombrable de statues d'ivoire, évoquant un empilement de sarcophages, ou ces statues de divinités égyptiennes mi-humaines mi-animales, avec quelque chose de différent, de plus rond, des culbutos, polis et lissés et dont les formes ovales dégageaient un champ de douceur et d'apaisement, les rendant d'ailleurs d'autant plus troublantes qu'elles semblaient bienveillantes et immobiles, mais d'une immobilité venue d'un autre âge, d'un temps différent, matérialisant la trace physique de quelque chose s'apparentant à un gouffre, à un mystère incommensurable dont je n'arrivais pas à me souvenir. Les statues accouchaient d'autres plus petites, à la manière des poupées russes, à la différence que certaines des nouvelles apparitions étaient, par un prodige inexplicable, plus grandes que celles dont elles étaient issues.

Un matin en me levant j'eus la surprise de trouver le château entièrement désert, ni agitation, ni feu dans les cheminées, de grandes salles vides et froides, l'endroit était apparemment inhabité depuis des lustres, me rendant instantanément presque fou de panique, tout le monde s'était sauvé ailleurs me laissant tel un crétin bloqué sur l'île déserte en train de sombrer, au moment où j'allais crier je voyais un petit papier par terre, un emballage de chewing-gum, j'entendais les pas du vieux dans l'escalier, accompagné d'autres formes ressemblant à des serviteurs, à des guerriers d'Obsül, une armée de fantômes qui se mouvait le plus naturellement du monde, jusqu'aux flammes crépitant joyeusement dans l'âtre rougeoyant, et il me venait encore une fois que c'était la terre entière qui n'était rien d'autre qu'un vaste théâtre créé à mon unique intention dans le seul but de me torturer, de me rendre définitivement fou.

La fête donnée pour l'anniversaire d'Obsül, où je fus véritablement adoubé, fut grandiose.

Des camions de fuel étaient rentrés le matin et les groupes électrogènes, alimentés, pouvaient donc marcher à plein, illuminant les tours, les terrasses et restituant pour un soir la magie des projecteurs qui avant enchantaient les touristes, faisant de Chambord un gros vaisseau tout blanc, l'alcool de pomme de terre coulait à flots, il y avait même du vin et de la méthadone pour ceux qui en voulaient, Obsül avait permis qu'on amène des femmes et, organisée selon la hiérarchie (la baronnie, les chasseurs et les simples barbares) en vigueur dans cette nouvelle capitale de la France engloutie, la foule se répartissait entre les étages, les balcons et la cour intérieure, où le gros de la troupe se trémoussait en beuglant un tube qui avait fait fureur quelques années auparavant,

Nous avons traversé
Les guerres et les tempêtes
Nous avons affronté
La mort et la défaite
Gai, gai
Dansons sur l'an 2000
Gai, gai
Dansons pour faire la fête
Célébrons la fin du siècle
Dansons sous les paillettes.

Les barbares hurlaient, reprenaient les couplets à tue-tête, les chasseurs hurlaient, les guerriers hurlaient, Obsül lui-même braillait comme un sourd, seul le vieux restait de marbre, parent d'élève attentif mais absent le jour de la boum.

Gai, gai
Dansons sur l'an 2000
Gai, gai
Dansons pour faire la fête.

Un peu avant minuit les quelques femmes choisies ont été invitées à rejoindre le bal, là où se trouvait la plèbe, le commun des barbares, il s'agissait bien sûr de filles ayant déjà servi, loin de ce qu'on appelait le premier choix, mais quand même quelque chose d'encore correct, en un tournemain elles étaient fondues dans la masse des danseurs.

Nous avons affronté
La mort et la défaite

Elles aussi chantaient, en tapant dans leurs mains, si je n'avais pas eu collé à moi ce souvenir du radeau infernal avec les vieilles et les foldingues, les voir avec

197

leurs poitrines épanouies et leurs jupes fendues m'aurait sans nul doute paru pour le moins émouvant.

Mais j'étais devenu un autre.

J'étais au-delà de tout.

Dans l'enceinte du château la fiesta redoublait d'allure, une des femmes montrait ses seins et les autres applaudissaient, *le* Titanic *peut bien couler, dansons, dansons sur l'an 2000,* des hommes travestis se frottaient contre elles, excitaient les autres, onduaient sur le rythme, *gai, gai, célébrons la fin du siècle, dansons pour faire la fête.* Je pense que l'on n'était pas très loin du siège de Carthage sous Hamilcar et si, du haut d'une des tours de Chambord, Salammbô elle-même était apparue, ses voiles flottant au vent, pour proférer quelques insultes aux mercenaires, personne, m'a-t-il semblé, n'en aurait été trop étonné. L'atmosphère se prêtait aux scènes magnifiques et à la magie.

L'adoubement lui-même eut lieu vers quatre heures du matin, devant le roi ivre et défoncé se faisant sucer par deux jeunes geishas, d'un tout autre choix, je l'ai noté au passage, que celles offertes à la foule, qui se relayaient laborieusement jusqu'à ce qu'il leur dise de cesser, trop cassé pour aller à terme. Il m'a serré dans ses bras en me redisant tout le bien qu'il pensait de moi et que je lui avais presque sauvé la vie, et puis j'ai eu droit à la coupure rituelle, nous avons mélangé nos sangs, Obsül, et après les autres piliers de Chambord, et j'ai pensé que cette fois pour le sida c'était gagné, qu'ils devaient tous l'avoir et que trouver un traitement ici n'allait pas de soi, et puis la stupidité de cette crainte d'un autre temps m'a fait rigoler, j'ai accepté l'accolade et répété les phrases me scellant à tout jamais comme Chevalier de la Noble Cause, Pilier de Chambord et Compagnon d'Obsül.

Aux premières lueurs de l'aube il ne restait plus dans tout le château que des corps affalés ou quelques vaillants s'adonnant encore à l'orgie, le vieux m'a fait signe de le suivre et nous avons, moi et les autres qui composaient notre groupe, entrepris une nouvelle fois l'ascension vers les combles de la tour est. J'avais des fragments du *Nécromonicon* qui me revenaient par bribes : « **Les anciens furent, sont et seront. Des étoiles obscures, ils vinrent là où l'homme était né, invisibles et repoussants. Ils descendirent sur la terre primitive. En dessous des océans, ils couvèrent au cours des âges, jusqu'à ce que les mers se retirent ; puis ils pullulèrent et, dans cette multitude, commencèrent à régner sur la terre. Sur les pôles glacés, ils édifièrent de puissantes cités et sur des hauteurs, les temples de ceux que la nature ne reconnaît pas et que les dieux ont maudits.** » Et cette réminiscence paraissait l'illustration évidente de ce que nous allions faire, invoquer des esprits, entrer en contact avec quelque chose habituellement caché et interdit aux hommes.

Nous nous répartîmes à distance égale les uns des autres et le vieux, sans prononcer une parole, déclara la réunion ouverte. Pour la première fois depuis que j'étais confronté à des phénomènes bizarres j'avais la pleine possession de mes moyens, c'est-à-dire que chaque détail, chaque action se profilait avec sa finalité exacte, sa face occulte et la multiplicité de sens qu'il pouvait signifier.

Je voyais la complexité du monde et sa simplicité évidente, les rouages compliqués d'une horlogerie géante, la clarté aveuglante des choses posées et immuables, des lacs gelés et des grottes obscures, des déserts immenses et des foules en colère aveugles et mutiques, que les tourments avaient rendues folles, sourdes à la lumière et rejoignant pourtant malgré tout l'océan. Je voyais la preuve de l'existence de Dieu et son absence définitive. Je voyais tout, la raison de ce tout et son effacement permanent, aujourd'hui comme au siècle des siècles, le pentacle que dessinait le vieux par terre n'était rien d'autre qu'un support griffonné pour que nos esprits ne basculent pas définitivement dans la folie et les incantations que nous psalmodions n'étaient pas différentes de ces comptines enfantines qui, scandées devant l'obscurité, conjuraient l'effroi que provoquait le noir.

« **Après le jour viendra la nuit. Le temps des hommes passera et ils retourneront là d'où ils sont venus. Vous saurez alors qu'ils n'étaient qu'impureté, et, maudits, ils auront souillé la terre.** »

Plusieurs entités, ou formes, se matérialisèrent, prenant un aspect d'épouvante, de goules, ou de gobelins, d'ombres, traduction compréhensible de ce qui, sur un autre plan, n'avait ni aspect, ni forme.

A partir de cette curieuse séance ma vie acheva de changer définitivement. La première chose tangible de ce nouvel état de fait trouva naturellement son expression dans ma manière de peindre et surtout dans ma peinture elle-même.

J'avais entrepris une série d'*Obsül chasseur, Obsül coupant la tête du rebelle avec une scie à métaux, Obsül luttant contre la bête*, et, dès les premières esquisses je sus qu'il se passait pour moi quelque chose d'extraordinaire, dont j'avais depuis toujours rêvé et à quoi, même dans mes espoirs les plus fous, je n'avais jamais osé pouvoir prétendre.

Ma peinture devenait mouvante, comme si touchée par la grâce elle devenait la vie même, prenant sur la toile une consistance sautillante où chaque atome de couleur, bien qu'aggloméré en aplat compact, se trouvait quasiment mis en réserve, prêt à décoller dans un tourbillon vibrant et scintillant, pour venir cogner l'œil et l'éblouir afin de l'entraîner, de le tirer sur un chemin où perdant tout repère il se retrouvait pris dans une succession de scènes animées et étranges, à la manière de ce qui aurait pu être un film mais qui était bien plus, une sorte d'hypnose nous révélant des faces obscures de cette dimension qui était la nôtre.

Quand j'étais arrivé à Chambord, Obsül avait émis la réflexion que j'étais l'élément manquant, expliquant ainsi la considération dont j'avais aussitôt joui, et lorsque je m'étais enquis auprès de mes collègues de quoi il s'agissait, et de quelle manière j'allais venir terminer un puzzle entamé avant que personne ici n'ait connaissance de mon existence il m'avait été répondu qu'une prophétie annonçait avec précision ma venue, la venue d'un peintre devant compléter l'organigramme magique. Le vieux avait assuré à Obsül que dès cet instant les sorciers, qui déjà le soutenaient, seraient en mesure de faire de lui le nouvel empereur, le roi du monde que la terre attendait, qu'il s'agirait du point de départ d'un nouvel essor, d'un règne magnifique (Hitler aurait-il pu mettre l'Europe à feu et à sang sans l'appui des mages, et le Conquérant, Alexandre lui-même, n'avait-il pas un gourou qui l'accompagnait, garant de ses victoires ?), à n'en pas douter Obsül était promis au même magnifique destin.

Dans un temps
Troublé et de guerre
Sous l'influence
D'un Vinci
Une étoile dans un château
Brillera

Décryptée par le vieux cette petite strophe avait pris un sens évident, nous étions cette étoile et j'en constituais la branche manquante.

Quelques jours après l'anniversaire, alors que tout le bas du château était dès le coucher du soleil transformé en disco permanente, avec le son de la techno qui tambourinait ce même battement qui, déjà avant que les événements aient démarré, m'évoquait toujours une sorte de tristesse et pour tout dire l'image précise de la fin du monde, Obsül demanda à voir mes toiles, le début de mon travail.

Obsül chasseur.

Obsül et la scie à métaux.

Quand on regardait les tableaux on ne voyait qu'un brouillard confus, une sorte d'étendue grise qui vous prenait aux yeux et semblait vous envelopper comme un nuage de sable, il fallait un petit temps d'adaptation avant de distinguer ce qui apparaissait ensuite, les détails et les couleurs.

– Qu'est-ce que c'est ce truc ? avait beuglé Obsül, c'est quoi, du vomi ?

Et la troupe d'abrutis, de courtisans, le lot de crétins qui ne le quittaient jamais d'une semelle, toujours prêts à brosser le poil dans le bon sens, s'étaient esclaffés de concert. Pour bien appréhender la scène il fallait se représenter Chambord, avec quarante mille pièces dans tous les sens, des ailes, des couloirs, des entresols, des escaliers et la vue, par chaque fenêtre, du plus grandiose des grandioses, le tout meublé de bric et de broc, selon les goûts et les possibilités de ceux qui, au fur et à mesure des vagues d'arrivants, des promotions et des disgrâces, avaient investi les lieux, et là-dedans cette espèce de cour des miracles, un conglomérat d'attardés mentaux survivants du cataclysme, avec quelques atypiques glissés dedans, comme l'ancien guide ou le vieux, la majorité habillée soit comme des gitans moyenâgeux, soit comme des punks post-techno, dans une sarabande somme toute pas très éloignée de ces films nous prédisant des temps difficiles, avant, que l'on voyait avec ravissement, les *Mad Max* et les *New York 1997*, en se disant que bien sûr cela n'arriverait pas, que le fait que ce soient des films nous protégeait de leur apparition, et là nous y étions, un compromis entre un livre d'histoire retraçant la longue épopée des rois de France et un polar de troisième zone, avec des analphabètes trafiquants de jeunes vierges, drogués et sodomites pour la plupart, asservis par un chef qui croyait en son destin magnifique et en la magie.

– Du vomi, a repris un des bœufs, on dirait plutôt de la merde.

Mais avant même qu'il ait eu le temps de finir sa phrase Obsül l'avait fait taire, les yeux écarquillés fixés sur le tableau, sidéré certainement par ce qu'il voyait, le voile qui se déchirait et sa propre image rendue vivante par la force de la peinture, qui s'animait et brandissait son trophée, la tête du rebelle sanguinolente, les formes rendues par une sorte de troisième dimension visible de lui seul, et aussi plus que cela, plus que la réalité retranscrite de manière ultraréaliste et sensitive, c'était une porte qui s'ouvrait vers autre chose, vers les aspects que pouvait prendre la vie et tous ces recoins du monde sur lesquels on butait chaque jour sans y prêter attention et qui sur la toile se mettaient à briller et à vivre.

– C'est un trip, a fini par murmurer Obsül, c'est un trip !

Et peut-être pris par ce qu'il voyait, le sang et la douleur du décapité, toutes choses qui, sur le moment, lui avaient échappé, il a continué d'une voix étranglée, ô merde, le pauvre, il s'en prend plein la tête, dans un coin de la toile se trouvait une présence également invisible lors de l'altercation, une petite fumée inquiétante qui n'était autre, peut-être, que la mort elle-même, en tout cas qui a eu le mérite de plonger Obsül dans une angoisse qui lui a presque coupé le souffle, c'est fort putain, c'est trop fort comme voyage, ça me fait flipper si je regarde trop, et il a fini par se détourner, en me faisant un clin d'œil sitôt ses esprits retrouvés, c'est balèze, grand, ce que t'as fait, c'est balèze, c'est bien, Obsül est content, la prophétie n'avait pas menti, tu assures, grand, c'est bien.

Tout le groupe de demeurés a reflué en me jetant des regards bizarres, pour eux la toile n'était restée que du vent, une vague étendue de suie posée sur un chevalet, quelqu'un a fait une réflexion comme quoi c'était pas catholique et un autre a récité une sourate de manière préventive, au cas où, on ne sait jamais, et je l'ai encouragé d'un sourire, bravo, c'est formidable d'être encore croyant par les temps qui courent.

Les événements, les tumultes qui avaient précipité notre belle société prospère à bas avaient fini par s'atténuer, ou en tout cas les gens avaient dû se faire une raison et réessayaient de vivre malgré tout, on le sentait au nombre de malheureux venant aux abords du domaine supplier qu'on les accepte, même comme esclaves, qu'on leur permette de travailler la terre et surtout qu'on les protège, comme au bon vieux temps des nobliaux régnant sur des contrées de vassaux, et plutôt que de les repousser, ou de les tuer, le vieux avait conseillé à Obsül d'acquiescer à leur demande, il fallait nourrir la troupe et l'on n'aurait pas trop des récoltes à venir. La reconquête du monde passait d'abord par une organisation rationnelle de notre proximité.

Après ce premier tableau et l'effet qu'il produisit sur Obsül, je fus moi aussi régulièrement consulté sur les décisions à prendre, d'abord concernant des petits riens sans importance, puis sur des orientations plus vastes.

Plusieurs fois par semaine nous, les sorciers, nous réunissions, mêlant nos énergies dans un flux impalpable et peut-être, pour paraphraser Shakespeare, tissé de l'étoffe même des songes, ce qui à chaque fois me précipitait vers des horizons ayant sur le moment la clarté d'une aurore boréale et dont j'avais du mal, ensuite, à me remémorer précisément le contenu, la teneur ou le sens, alors que l'impression d'être de plain-pied avec une réalité beaucoup plus réelle que ce que je connaissais sur terre dominait, que la vraie vie, ou ce qui régissait tout, était bel et bien ailleurs, comme si au cours de nos expériences nous parvenions, fugacement, pour un instant, à déchirer le voile.

La vie au château avait pris une tournure quasiment théâtrale, on avait chaque jour cette sensation de vivre dans une représentation permanente, avec la musique qui commençait à tambouriner dès la tombée de la nuit, le rythme sourd et surtout assourdissant de la dance, de la techno ou de la transe, donnant à tout le château la pulsation de base, le souffle cardiaque qui lui manquait jusqu'alors, et dans la journée il y avait les assemblées, ou les chasses, où chacun se plaisait à jouer un rôle, les sorciers avaient fini par se montrer au vu et su de tous, il était de toute façon notoire qu'il se passait quelque chose d'occulte, qu'une force, par l'intermédiaire de certains, était ici à l'œuvre et soutenait Obsül, nous apparaissions donc maintenant costumés de noir, les épaules recouvertes d'une sorte de cape, et ce qui aurait pu sembler risible, voire ridicule, dans un moment autre, trouvait là une place juste et nécessaire, nous incarnions un repère tangible au milieu de ce qui n'en avait plus, nous étions la preuve vivante qu'il était encore possible, même par une voie biaisée et souterraine, de communiquer avec un au-delà, que cet au-delà existait et que de ce fait, nous n'étions pas encore totalement oubliés et abandonnés des dieux, et à travers tout ce chaos c'était une pensée rassurante, un petit fil ténu auquel se raccrocher, qui pouvait donner une vague lueur d'espoir.

Il s'agissait ni plus ni moins de la reconquête de la terre, de notre statut d'humains et d'être à l'origine, pourquoi pas, d'une nouvelle renaissance, dont Chambord serait le centre vital, et si l'on regardait objectivement les faits il était certain que bon nombre de paramètres accréditaient cette thèse, c'est du moins ce sur quoi s'appuyait le vieux pour convaincre Obsül et les différentes factions qui composaient les forces s'équilibrant dans le camp :

Nous étions dans un château qui avait abrité le joyau de l'époque bénie.

Il était pratiquement certain que le grand Léonard lui-même s'était penché sur ses plans.

Le site avait été épargné par le nuage radioactif malgré la proximité de la Centrale.

Et, point qui balayait définitivement tous les doutes, le domaine de Chambord faisait exactement la surface de Paris intra-muros calculée selon l'enceinte des boulevards extérieurs.

Pile-poil au mètre carré près.

Nous étions donc bel et bien dans la nouvelle capitale, la nouvelle capitale du monde.

Seul un idiot aurait pu en douter.

Les sorciers n'étaient pas les seuls à avoir désormais leurs habits d'apparat. La noblesse, les proches d'Obsül, arboraient des pantalons en cuir, des barbours de moto et des bonnets de couleur péruviens, petite touche inattendue sur la tête de tous ces gaillards, provenant d'une cargaison parvenue jusqu'à nous par la magie des pillages et des fauches, les chasseurs avaient leur tenue de chasseurs, héritée des gardes forestiers et des gardes-chasse dont ils étaient pour la plupart issus, en kaki, mais à la place des bonnets multicolores, eux avaient des chapeaux tyroliens avec une plume élégamment glissée dedans, les intendants et serviteurs avaient fini par s'habiller en bleu, lot des besogneux, des grosses cottes de travail récupérées dans une usine proche, quant au tout-venant des barbares ils se rasaient le crâne et c'était un signe suffisant pour les distinguer. En peu de temps un semblant d'organisation sociale avait bien été restauré, les costumes en étaient la preuve tangible.

On aurait donc pu croire qu'un certain train-train allait reprendre le dessus, les petites histoires qui avaient de tout temps existé, les ragots par exemple, les cancans et les discussions à n'en plus finir sur le temps, les attitudes légèrement hors normes du voisin ou ses propres rancœurs et ses peines, que malgré la tempête la vie reprendrait ses droits et qu'au milieu des turbulences s'installerait un certain statu quo, mais en fait pas du tout, chaque moment était particulier, frappé du sceau tout à la fois de l'étrangeté, de la douleur de savoir perdu tout ce que nous avions connu, et d'une sorte d'aura qui venait crucialiser même le plus banal des instants, l'enveloppant d'une gangue inquiétante et vive, faisant qu'au final la moindre seconde que nous passions dorénavant ici-bas était totalement incarnée, que nous n'avions à l'intérieur de nous-mêmes plus aucune possibilité de nous évaporer dans les phénomènes échappatoires, de fuir en partie la réalité, de nous soustraire au monde.

Monde dont l'écho nous parvenait par intermittence, au gré des arrivages de marchandises, des acheteurs ou des fournisseurs d'esclaves, des migrations de malheureux venus du Nord ou du Sud demandant asile et que l'on recyclait aux travaux des champs, écho tangent la plupart du temps, le bassin méditerranéen s'était effondré, anéantissant au moins Marseille, la côte et jusqu'à Avignon, et vers Paris et au-dessus il semblait que sévissaient toujours le froid et la nuit, que des contrées entières étaient livrées aux goules et aux créatures de cauchemar, c'est du moins le récit que nous en avait fait un jeune rescapé : au nord de la Loire l'enfer avait, semble-t-il, pris un pied sur la terre. Je continuais à peindre et mes portraits de femmes – j'avais entrepris une série sur le harem d'Obsül – connaissaient un vif succès.

Chaque toile était le reflet exact de la beauté de ces filles, de leur innocence et de leur fraîcheur, et cela déjà suffisait à provoquer un appel immédiat, par ce qu'elles représentaient, les trésors inaccessibles, et bien sûr par le trouble qu'elles évoquaient, mais aussitôt que le regard s'attardait surgissait une multitude de détails, le grain de la peau, ou la brillance des cheveux qui aussitôt appelait une vision supplémentaire, la rétine se trouvait en fait presque aspirée, projetée entre les minuscules taches de peinture pour partir à la rencontre d'autre chose de plus impalpable, comme si au sein de la même œuvre j'avais pu réunir une expression tout à la fois figurative, impressionniste et abstraite, ce qu'avait fini par exprimer à sa manière un des compagnons d'Obsül après des heures de contemplation : c'est pareil que si j'étais allé à l'intérieur de son âme, et ma réputation de magicien s'en était trouvée ainsi confirmée.

Car dans cette barbarie environnante persistait quand même une constante symbolisée par Chambord lui-même, DU MARAIS JUSQU'AU CIEL, avec la grande lanterne en haut de l'édifice essayant d'atteindre les nuages et les pilotis de bois sur lesquels reposait l'ensemble, les quantités de symboles inscrits dans la pierre même, la forme des balustres de rambardes, un rond mêlé à un carré, la Terre et le Ciel intimement associés et la Salamandre, omniprésente, il y avait une vocation de transformation, d'alchimie secrète inhérente au lieu qui était, malgré l'apocalypse, ou peut-être justement à cause d'elle, capable d'opérer sur la profondeur de nos êtres.

La musique cognait sans discontinuer de dix heures du soir à six heures du matin.

Dans la journée, il régnait parfois au château un silence de mort.

Obsül chassait, se défonçait et rêvait de conquêtes.

J'avais peint vingt-six visages de femmes, que l'on avait accrochés dans les trois grandes salles du premier étage et que les barbares venaient admirer, certains en se signant, ou en récitant des sourates protectrices, en touchant leurs amulettes.

Dans le grenier de la tour est les forces que nous invoquions nous livraient des formes de plus en plus monstrueuses et déconcertantes, qui, si elles n'effrayaient pas le vieux, finissaient, aux autres et à moi-même, par nous faire peur.

Je me rappelais un livre où il était question des différentes sortes de magie, la Magie Sacrée, où le mage est l'instrument de la puissance divine, la Magie Personnelle, où c'est le mage lui-même qui est la source de l'opération magique, et enfin la Magie Noire où le mage n'est que le jouet des forces obscures et qu'on appelle communément la sorcellerie, et au sortir de nos manifestations j'avais l'esprit comme strié par des pensées bizarres et le doute que peut-être ce à quoi nous nous adonnions n'était qu'un chemin sans issue sur lequel nous conduisait le vieux, aveuglé par une soif de pouvoir et l'illusion qu'à travers le pacte informulable que nous avions conclu se profilait une éternité de luxure et de gloire, dans la lumière, alors que nous n'étions vraisemblablement que des pantins ballottés au gré des rumeurs inconscientes du monde, six pauvres choses dont les paupières malgré toutes les apparences demeuraient closes plus un démiurge se croyant au service du ciel alors qu'il n'obéissait illusoirement qu'à ses propres lois.

Gérer le domaine demandait une concentration et une réflexion de plus en plus pointues, il était évident que si nous n'y prenions garde tout cela n'aurait qu'un temps, il arriverait un moment où les pillards ne trouveraient plus de marchandises restantes de la civilisation passée, plus de carburants pour faire tourner les groupes électrogènes et donc plus de fête, plus de musique et aussi un jour plus de drogues, plus de médicaments hypnotiques et violents qui plongeaient les barbares et la cour dans des transes hallucinées, à moins bien sûr que nous relevions la tête et qu'il y ait un sursaut, l'essor d'une nouvelle ère, d'un nouvel empire, dont, comme l'avaient annoncé les prophéties du vieux,

Obsül serait tout à la fois l'ordonnateur et le grand maître.

J'avais entrepris de lui faire découvrir les *Mémoires d'Hadrien* et les *Guerres* de César, comme à un enfant à qui l'on récite un conte, le soir, pour le bercer, en espérant que l'idée ferait son chemin et que petit à petit la brute se métamorphoserait en gouvernant, en conquérant éclairé.

L'ordre était préférable à l'anarchie et pour cela il nous fallait un roi.

Un roi intelligent, fin, capable d'autorité mais inspiré par des forces de progrès, de justice et capable de susciter ou d'accompagner l'étincelle qui ferait repartir la machine.

Un roi de l'avenir.

Et nous avions Obsül.

Ceci dit avec la faune qui composait le royaume c'était peut-être plus un bien qu'un mal et je ne vois pas qui d'autre aurait pu régner et se faire respecter au milieu des barbares, des chasseurs et des centaines de pillards avec qui nous commercions chaque jour. Obsül avait la force, et cette force était nécessaire.

« **C'était une guerre toute nouvelle et d'un aspect inusité, tant à cause d'un grand nombre de fortins, de l'étendue de la ligne, de l'importance des retranchements, de toute l'allure du siège que de ses autres caractères.** »

A l'extérieur du domaine, si lors de mon arrivée ligoté sur le cheval il m'avait semblé que le pays respirait un semblant d'opulence, la situation était, au regard des faits, bien moins florissante. Effectivement certaines parties des terres avaient été remises en culture par des paysans du cru, mais malheureusement de manière trop anarchique pour espérer aboutir à une répartition cohérente des récoltes et qui plus est il y avait des abus, les pillards sur leur passage en profitaient bien évidemment pour faire ce qu'ils savaient faire, c'est-à-dire justement piller, et les cultivateurs, faute d'encadrement pour les surveiller, et arguant de cette excuse, avaient beau jeu de dissimuler le produit de leurs moissons aux envoyés qu'on leur dépêchait.

Il fut donc finalement décidé, pour le bien du domaine mais aussi dans la perspective plus large de nos conquêtes futures et du grand royaume que nous appelions de nos vœux, de nous mettre en campagne et, par une tournée spectaculaire de notre armée, de montrer aux culs-terreux des alentours, aux survivants divers et aux contrevenants de tout poil que l'Empire existait bel et bien et que le règne d'Obsül n'était pas de la blague. De plus nous avions besoin de nouvelles recrues pour le harem et il devait forcément s'en dissimuler encore quelques-unes chez les pedzouilles.

Un des éléments majeurs de cette marche triomphante nécessaire à rétablir dans la psychologie des environs la prépondérance de l'Etat résidait dans l'utilisation judicieuse et symbolique de la salamandre. C'était une des premières choses que j'avais vues, quand Chambord s'était matérialisé à travers la brume, toujours quand j'étais arrivé avec le vieux, quand je n'étais pas encore celui que j'étais devenu, un Peintre-Sorcier, conseiller particulier d'Obsül, et j'avais pris la bête pour une espèce de fourmi géante, alors qu'il s'agissait en fait d'une salamandre gigantesque, construite avant les événements pour un spectacle qui n'avait jamais vu le jour et que l'on avait recyclé, en s'appuyant sur les récits des contemporains de François Ier qui narraient comment le roi, pour les mêmes raisons que nous aujourd'hui, promenait sa bête surdimensionnée dans la campagne, quatre jeunes filles nues dressées à l'avant pour symboliser la pureté, et des flammes sortant de la gueule du monstre, afin de frapper l'imagination du peuple. d'affirmer son autorité et d'inciter l'âme fruste de la paysannerie à des idées d'élévation. La salamandre était un symbole fort, dont on retrouvait la trace jusque dans les récits bibliques, capable de vivre au milieu du feu comme de l'éteindre, une représentation aussi « *du Juste qui ne perd point la paix de son âme et la confiance en Dieu au milieu des tribulations* », l'instrument d'une purification on ne peut plus nécessaire par les temps troublés qui étaient les nôtres.

Nous allions aussi en profiter pour remettre bon ordre à la gestion des cultures, nommer de nouveaux représentants, le problème aujourd'hui était que, le carburant menaçant de manquer, il fallait faire la tournée à cheval ou pire, en vélo, et personne ne se bousculait pour y aller, il était bien sûr plus agréable de se prélasser sur la grande pelouse et de faire la bamboula au Queen toute la nuit.

Lorsque nous passâmes la porte de Muydes, trois semi-remorques bourrés d'hommes, la voiture d'Obsül, ses chevaux, et la Salamandre tirée par un tracteur, je crois que notre convoi, avec nous, les sorciers, qui chevauchions autour, avait fière allure.

C'était, depuis trois ans que je prenais part à la marche du domaine, ma première sortie hors des murs.

De ma vie parisienne, de mon existence d'antan, il ne restait plus rien, si ce n'est un vague souvenir, le visage de Marianne, ses jérémiades, quelques rues de Paris et la mémoire des scènes fantasmagoriques qui s'y étaient déroulées, les goules et le Léviathan. J'étais passé au travers d'une telle série d'épreuves, j'avais subi de telles transmutations, que si l'on m'avait mis en présence de mon être précédent je crois que non seulement je ne l'aurais pas reconnu mais qu'il m'aurait été aussi étranger qu'un de ces personnages de fiction auxquels on a du mal à s'identifier et qui vous semblent à la fois lointains et un peu faux.

La campagne semblait triste et pelée et au loin une des tours maudites de la Centrale fumait encore.

Je nous voyais, issus d'un temps ancien, existant à

la fois dans le passé comme dans l'avenir, créant et réparant dans la même seconde nos malheurs, nos existences pleines d'entraves et les couperets fatidiques qu'un jour ou l'autre il allait nous falloir affronter, pour ceux d'entre nous qui ne s'y seraient pas déjà préparés. Nous avons roulé une dizaine de minutes, jusqu'au premier village, où les camions ont stoppé dans un bruit de freins épouvantable rendu plus strident encore par l'absence de toute présence sonore, au domaine il y avait la musique, ou des gens, ou au moins le signe d'une activité plus ou moins proche, là il n'y avait rien, rien d'autre que l'absence, le vide, et des maisons qui paraissaient abandonnées.

– Allô, a beuglé Obsül, allô, allô.

Le groupe des chasseurs nous avait rejoints, à bord d'une camionnette kaki qui avait dû appartenir à l'O.N.F., qui en avait encore le sigle, et nous avons disserté de concert sur ce mystère, la place vide, en criant de temps en temps, allô, allô, sortez aucun mal ne vous sera fait, Obsül vous fait l'honneur d'une visite, les chasseurs disant qu'il fallait attendre, que les gens allaient se montrer, et les barbares que nous avions emmenés commençant à s'ennuyer, à fumer des joints et à inspecter les maisons alentour à l'affût d'une rapine quelconque.

Nous avions laissé le château sous la garde d'ectoplasmes et de formes chargés de dissuader quiconque aurait songé à s'en emparer et pendant le temps qu'allait durer notre absence le Queen était fermé et interdiction avait été donnée, hormis aux serviteurs chargés de leur entretien, d'accéder aux étages royaux et au harem.

Vers la fin de l'après-midi une fillette couverte de crasse a montré le bout de son nez, suivie d'un jeune garçon qui devait être son frère et petit à petit d'autres sont apparus, des cultivateurs que Jacquot, le chef des chasseurs, s'est empressé de rassurer, soit qu'il les connaissait d'avant, soit qu'il savait trouver immédiatement de toute façon un terrain d'entente avec eux, les choses s'arrangent, nous voulons relancer l'agriculture et redonner à la région un visage cohérent, et Obsül, le roi de Chambord, est prêt à vous y aider, et les malheureux avaient tellement besoin d'espoir, qu'on leur fasse miroiter n'importe quoi plutôt que cette chape d'horreur qui les avait soudainement recouverts sans qu'ils y comprennent rien, qu'ils hochaient la tête, pleins par avance d'une gratitude qui faisait presque peine à voir, méfiants malgré tout, mais mûrs pour participer à cette nouvelle relance que nous proposions.

Peut-être avions-nous pour mission de constituer un nouveau canevas d'images, une mythologie à trois sous capable de réactiver l'ensemble, avec ce décorum bricolé de bouts de chiffons, l'air blême et défait des barbares et autour de nous les alentours semblables aux abords mêmes de l'enfer, à sa proche banlieue un matin de début de semaine maussade, en voyant la foule de ces êtres démunis, malades de peur, de fièvre, affamés, qui tendaient vers nous les bien nourris, les derniers privilégiés du monde, leurs mains maigrelettes, j'ai eu bêtement envie de peindre une vision étrange qui me revenait par-delà les brouillards de l'apocalypse, la Francilienne sous la pluie, vers quinze heures, lorsque les voitures bloquées dans un embouteillage provoqué par un accident survenu entre Fresnes et Orly, en direction de Créteil, se mettaient à klaxonner d'une note lasse et agacée, les piliers de béton qui arrimaient les ponts de la voie express étaient aussi présents à mes yeux que la station-service sur le bord de la nationale perdue où nous nous trouvions, et une explication à ce qui avait dû préfigurer notre perte s'est de manière vague et intuitive formée dans le fin fond de mon esprit sans que je parvienne à l'en extirper totalement. Un des enfants des gueux s'est mis à gémir et soudain j'ai eu peur et je me suis senti honteux et mal à l'aise de mon aisance et de ma bonne fortune.

– Obsül est là, parmi vous, et dorénavant vous pouvez vous appuyer sur sa force et compter sur sa protection.

Il leur a expliqué calmement que l'union était nécessaire et que nous avions besoin d'eux comme eux avaient besoin de nous, que le fait de cultiver la pomme de terre leur donnerait le droit de faire partie de la nouvelle nation, du royaume de Chambord et par là même les empêcherait de retourner à l'état de bêtes sauvages, ce qui les attendait inévitablement.

– Regardez-vous, regardez votre allure, si vous ne m'écoutez pas vous allez péricliter, vous allez mourir comme des animaux.

Derrière on avait mis en marche les rampes à gaz cachées tout au fond dans la gueule de la Salamandre et un geyser de flammes a jailli de la bouche du gros monstre brillant. La Salamandre a rugi Obsül, nous sommes mandatés par la Salamandre. Une femme s'est avancée en poussant un enfant recroquevillé dans une petite poussette. Je me suis demandé par la grâce de quelle folie un barjot pareil avait pu arriver au sommet du pouvoir et prendre le pas sur autant de gens en si peu de temps.

– Si vraiment vous êtes le roi que vous prétendez être, vous êtes en mesure de soulager nos souffrances.

Elle devait avoir été d'un bon niveau culturel, peut-être prof ou bibliothécaire, elle avait employé un ton courtois, comme une évidence, les vrais rois sont thaumaturges, demandez à vos conseillers, ils vous le confirmeront. L'enfant geignait dans son landau, il avait le teint si mat qu'on aurait dit un Africain. Mon regard a croisé celui de la femme et j'ai eu avec elle quelque chose que je n'avais pas rencontré depuis longtemps, une sorte de complicité immédiate, une reconnaissance. Je me suis penché vers Obsül et je lui ai murmuré la signification de thaumaturge, ça veut dire guérisseur, elle veut que l'on guérisse son fils.

Maintenant, il y avait du vent et les fanions de la station-service claquaient contre le filin métallique qui les retenait.

– Approche, a dit Obsül, n'aie pas peur, approche.

En venant, un peu avant le village, on avait croisé un Christ, perdu au milieu d'un champ en friche, ses deux bras fixés pour toujours à l'horizontale, dans une posture plus que jamais d'actualité, figé sur son calvaire, comme le reste pas tout à fait mort d'une époque révolue d'où surnageaient encore de vieilles idoles, des modèles désuets mais évoquant toujours au fond de nous les vicissitudes ô combien possibles de nos destins malheureux.

La femme a poussé sa carriole qui a grincé sur les graviers. Les chasseurs avaient pris un air attentif et soucieux, et nous les sorciers, sommes restés impassibles.

– Viens, a redit Obsül, viens, Obsül va te guérir, Obsül va soulager tes souffrances.

La femme nous a regardés, j'ai eu l'impression que c'est moi qu'elle fixait et j'ai acquiescé imperceptiblement, dans un signe qui pouvait presque passer pour un encouragement. Deux des barbares se sont précipités et ont sorti le corps bronzé de son amas de chiffons, la gueule de la Salamandre crachait des flammes dont on pouvait sentir le souffle brûlant, nous obligeant à nous décaler légèrement. Le visage de l'enfant était tordu dans un rictus de souffrance. Obsül l'a pris dans ses bras, comme un bébé, en appuyant le poids de sa nuque dans sa grosse main de géant, les paupières du vieux étaient aux trois quarts closes, on aurait dit qu'il dormait. Obsül va soulager tes souffrances, il va te guérir, et d'un coup sec il lui a brisé la nuque, aussi facilement que s'il s'était agi d'un petit lapin, puis il a soulevé le corps et l'a balancé dans le brasier, pendant que la mère se répandait en pleurs et en imprécations et qu'une atroce odeur de cochon grillé empuantissait l'atmosphère.

Je me suis vaguement tâté pour savoir si j'en ferais un tableau ou pas, avant d'opter pour l'affirmative, de la cheminée creusée au milieu du dos du monstre de métal jaillissaient des particules noirâtres, comme des bouts de carton brûlé soufflés par l'air chaud et j'ai songé que l'âme de l'enfant devait être entremêlée à cette suie malodorante et ainsi montait tranquillement vers le ciel.

– Obsül encule le mal, Obsül est là qui vous observe et vous protège, vive Obsül.

Les préposés ont calmé les flammes de l'animal, on a fait démarrer les camions et le convoi s'est réébranlé pesamment, digne procession composée maintenant d'une armée de gueux nous suivant, la mort du petit avait été un tel choc que personne n'avait osé broncher, seul Jacquot le chef des chasseurs avait fait part de son désarroi, je ne comprends pas Obsül, cette femme te faisait confiance, elle était prête à une adhésion aveugle, et tu as tué son fils, je ne comprends pas, et à la fin c'est le vieux qui est intervenu en disant tu crois que la vie de cet enfant était enviable, il était brûlé au dernier degré, il était irradié, tu ne penses pas qu'il est mieux où il est, mais j'ai bien vu que même si l'argument était recevable le chasseur n'était pas convaincu et je me suis fait la réflexion qu'un jour pourrait bien surgir un problème du côté des autochtones et de tout ce groupe de prédateurs en kaki, qu'on le regarde de n'importe quel point de vue Obsül n'était ici qu'un intrus et nous ne valions guère mieux.

Nous avons traversé le fleuve et pris la direction de la Centrale. C'était la première fois que je revoyais la Loire depuis ma descente sur la nef des cinglées, les flots étaient boueux et agités de tourbillons, quelqu'un a dit c'était le dernier fleuve sauvage de France, le seul qui n'était pas régulé artificiellement, maintenant ils doivent tous être dans ce cas-là, les barrages ça fait belle lurette qu'ils ont dû sauter, et chose qui ne m'était pas arrivée depuis longtemps – à Chambord la vie était protégée par un charme si puissant que l'extérieur, son évocation même, ne comptait pas vraiment –, la sensation attristante d'où en était la terre que nous avions connue m'a sauté au visage et mon cœur s'est serré à l'idée de toutes ces constructions, ces savantes architectures édifiées par l'homme au cours des siècles et aujourd'hui réduites à néant.

Quelqu'un a crié que si l'on continuait nous serions tous brûlés mais Obsül a levé le poing vers le ciel en redisant Obsül encule le mal, Obsül est plus fort que le feu et que la merde dont vous avez peur, et les gueux qui s'étaient arrêtés se sont remis en marche.

Au fil de ces années de chaos la Centrale était dans la région devenue l'emblème d'un traumatisme permanent, rendue petit à petit responsable de tout, de la fin du monde comme de l'épouvante qui s'était ensuivie, bien que les catastrophes soient survenues avant, et que l'accident en ait bien été la conséquence directe, et non la cause – c'est le fait que le personnel déserte, que le réseau disjoncte et que les ténèbres s'abattent sur la terre qui avait provoqué l'explosion d'un des réacteurs –, aujourd'hui les gens aux alentours du domaine vivaient tête baissée, hantés en permanence par les volutes de fumée s'échappant encore de la cheminée restée intacte, qu'Obsül, le roi de Chambord, s'en aille défier le mal sur son territoire avait donc valeur de symbole.

A l'intersection, à la sortie du village de Saint-Laurent-des-Eaux, il y a encore eu une hésitation, la cheminée semblait si proche qu'en étendant sa main sous le plafond bas des nuages on aurait presque cru pouvoir la toucher et les gueux ont redit qu'ils ne voulaient pas aller plus loin, que s'ils s'approchaient trop le truc allait se remettre à bouillonner, comme si, l'obscurantisme étant définitivement revenu parmi nous, le réacteur s'était surnaturellement doté d'une vie propre. Obsül a rebraillé : « J'encule la Centrale, j'encule le mal », et la Salamandre, tel le pendant bénéfique de ce qui se dressait devant nous, a rugi son torrent de flammèches.

Le vieux sur son cheval dodelinait de la tête et une brève vision m'a traversé, lui se liquéfiant, fondant sous l'effet conjugué de la chaleur d'un soleil immense et d'un charme si ancien que les causes et les raisons en avaient été depuis longtemps oubliées.

– Ça ne va pas ? je lui ai demandé, vous avez un problème ?

J'avais continué à le voussoyer, malgré nos liens, malgré notre lot commun : l'usage quotidien de la sorcellerie.

Il a fait un geste extrêmement vague, qui aurait pu indiquer n'importe quoi, un malaise physique, mais aussi une asphyxie, une lassitude étouffante, j'ai vu un petit animal rôtissant à l'infini dans un paysage rouge et desséché, une nostalgie étrange s'est emparée de moi, la nostalgie d'une magie antique qu'il nous avait été donné de pratiquer et à cause de quoi tout ensuite était arrivé, une magie noire et puissante.

Une magie et un sort que nous avions oubliés mais dont chacune des actions et chacun des moments de nos vies étaient la résultante directe.

Nous nous sommes immobilisés sur le parking où était encore garée une voiture, on pouvait tout imaginer, qu'elle était en panne et que son propriétaire l'avait abandonnée là, que le malheureux avait été pris au piège à l'intérieur ou même qu'il restait encore un locataire qui tous les jours sur le coup d'onze heures partait faire ses petites courses.

– Holà, a crié Obsül, holà !

Et plusieurs barbares ont braillé de concert : « Ho ! il y a quelqu'un, il y a quelqu'un là-dedans ? »

J'avais aussi des visions un peu bêtes du Diable qui revenait parmi nous nous saluer, il s'approchait et venait faire la bise au vieux, content de te retrouver mon gars.

– C'est bon, a beuglé une voix, on vient, on vient, pas la peine de vous énerver comme ça.

Et on a vu surgir un petit bonhomme, bronzé comme s'il débarquait à l'instant des Caraïbes et avec des dents, mon Dieu ses dents, aiguisées comme celles d'un aborigène et transparentes à tel point qu'on aurait dit que le malheureux avait des glaçons taillés en pointe, ou des bouts de plastique plantés dans la mâchoire, c'était d'autant plus choquant parce qu'il parlait en ouvrant la bouche de façon disproportionnée.

– Allô, il a redit, qui est là ? qui êtes-vous ?

Le château de Chambord était construit sur un svastika, et la surface du parc était exactement équivalente à celle de la capitale. Je me suis demandé quel sortilège mystérieux pouvait bien sous-tendre les plans de la Centrale.

Il y eut un moment de flottement, les barbares en sont restés cois, le type a refait : « Eh ben alors vous avez perdu votre langue ? » poussant Obsül à réagir, il a bombé le torse et a claironné : « Moi, Obsül, roi de Chambord et empereur du Monde, je viens reprendre possession de la Centrale et la décontaminer », ce qui a franchement fait sourire notre accueillant, les chasseurs étaient tout en vert et nous les sorciers avions nos capes noires et les barbares avaient eux aussi tous leurs signes distinctifs, leurs bonnets péruviens, et les gueux derrière n'avaient rien de particulier si ce n'est qu'ils étaient des gueux et que cela leur collait à la peau aussi sûrement que n'importe quel déguisement, toute la scène était proprement ridicule et grotesque, avec notre cinglé debout sur ses étriers et la Salamandre qu'on tirait avec le tracteur, poussez-vous on va la faire cracher, j'ai cherché le regard du vieux pour échanger un sourire de connivence et c'est à ce moment que j'ai réalisé qu'il n'avait vraiment pas l'air du tout d'aller bien, il transpirait à grosses gouttes et ses mains enserraient le pommeau de la selle à s'en faire péter les articulations, emparez-vous de lui a fait Obsül à l'intention du bronzé, quelques barbares se sont précipités pour ceinturer le type qui s'est laissé accoster sans manifester la moindre mauvaise humeur.

Comme une escouade de Marines surentraînée l'avant-garde des barbares a investi le premier bâtiment, l'ancienne structure servant autrefois à accueillir les groupes, les scolaires et les visiteurs, il y avait encore les panonceaux expliquant la marche à suivre, les chasseurs se sont positionnés autour, exceptionnellement pour la circonstance certains avaient un fusil, qu'ils ont pointé dans un geste guerrier, en prévision d'un ennemi éventuel tapi dans la pénombre du hall d'entrée.

– Il n'y a personne, a rigolé l'espèce de démiurge qu'on avait ligoté à une roue du tracteur, c'est pas la peine de vous exciter, c'est vide à l'intérieur, tout ce que vous allez trouver c'est des protons et des électrons, ha, ha !

Mais sans l'écouter Obsül est descendu de sa monture et s'est avancé, royal, vers le danger potentiel pendant que nous suivions derrière, sur une affichette était marqué NOUS VOUS DEVONS PLUS QUE LA LUMIÈRE, et Obsül, décidément porté par l'ambiance étrange et l'intensité du moment, s'est retourné et à l'intention des gueux a déclamé JE VOUS DOIS PLUS QUE LA LUMIÈRE, OBSÜL ENCULE LE MAL, OBSÜL VOUS PROMET SA PROTECTION ET SA PUISSANCE.

Arrivé en haut de l'escalier qui débouchait sur un mirador surmontant l'ensemble du site il a recommencé, trois fois, en scandant son nouveau slogan, qu'il enculait le mal et qu'il leur devait plus que la lumière, les préposés restés en bas ont fait fumer la Salamandre et quelqu'un a demandé aux gueux d'applaudir.

Obsül encule le mal.

Vous promet sa protection et sa puissance.

Et vous doit plus que la lumière.

Ça sonnait presque comme une chanson ou un début de slogan publicitaire.

En redescendant Obsül a tiré une balle dans la tête du mystérieux concierge et puis nous sommes repartis vers Chambord encore une fois, dans les effluves du corps en train de flamber dont un bras tout bronzé dépassait en pendouillant de la mâchoire de notre bête fétiche que le tracteur tirait en cahotant.

De retour au domaine, passé la porte de Muydes, nous étions fourbus, un peu soûls de ces aventures et de tout ce grand air mais pas mécontents de notre périple. Regardez a dit Jacquot le chasseur, nous avons réussi, la cheminée ne fume plus ! Et effectivement le ciel s'annonçait dégagé, sans cette trace sombre qui scindait habituellement l'horizon, cette fois il ne fut pas nécessaire d'encourager les gueux à applaudir, nous concluions ce qui devait, dans l'esprit d'Obsül, préfigurer le début de nos conquêtes, par une ovation et un triomphe. Le vieux avait repris quelques couleurs, je m'étais encore inquiété de son état, de savoir ce qu'il avait ; de tous les points d'appui sombres et mouvants que je m'étais forgés depuis la fin de mon calvaire c'était, hormis la sensation omniprésente d'un environnement invisible, mon seul repère un tant soit peu solide.

Est-ce que les montagnes étaient toujours là, avec des cimes enneigées et des chamois gracieux sautant de rocher en rocher ou bien tout s'était-il écroulé, dans un fracas épouvantable, en même temps que les eaux de l'Atlantique recouvraient la Bretagne et l'embouchure de la Loire, en même temps que la pluie sur Paris et la désolation sur le monde ?

Nous allions nous séparer, les barbares regagnant leur camp, la cour le château et les chasseurs leurs maisons et l'hôtel du Grand Monarque, lorsqu'un bruit de klaxon a fait sursauter tout le monde, un pouët-pouët si incongru qu'on en est tous restés interdits et stupéfaits, un gros semi-remorque, avec le bonhomme Michelin assis au-dessus de la cabine et un chauffeur d'apparence joviale, qui nous faisait des appels de phares, fonçant sur la route menant au château, de la musique rap s'échappait des vitres ouvertes et il y avait même des photos de pin-up punaisées dans la cabine.

– Ho, nous interpella le routier, ho les jeunes, c'est par ici le château de Chambord ?

Et avisant Obsül il lui a fait un geste, qui pouvait signifier aussi bien approche mon grand, que quelque chose de plus familier, eh grand tu te bouges un peu s'il te plaît. A ce moment le vieux était déjà parti vers le château, je l'ai vu de loin se retourner vers le camion et nous qui restions interloqués autour et puis, comme pris de frayeur, il s'est mis à trottiner et je l'ai vu disparaître sous le porche.

A partir de ce moment, une nouvelle fois, le cours des choses comme ma perception de la réalité se trouvèrent bousculés. L'homme était descendu du camion en disant j'ai un problème avec mon embrayage, je le trouve un peu mou, il avait serré la main d'Obsül, c'est toi le patron ici si je comprends bien, il avait indiqué la remorque et dit j'ai pas mal de marchandises là-dedans, j'ai des livres et des tableaux, dans un château ça peut pas faire de mal, non ?, j'avais la curieuse impression d'être en face d'un autre moi-même, que cette personne qui parlait était un double surgi d'on ne sait trop où pour me rappeler quelque chose d'oublié et d'actuellement vague et imprécis, à tel point qu'un instant j'ai craint que les témoins présents ne s'en rendent compte et s'écrient regardez, regardez, c'est lui, en me montrant du doigt, mais le type se remettait au volant, Obsül disait gare-toi sur le parking et suis-nous au château, on va parler.

C'est le lendemain au retour d'une partie de chasse que l'on retrouva le corps du vieux atrocement mutilé non loin du cimetière et que les gens commencèrent à sortir des miroirs et à se mêler à nous comme s'ils étaient vivants et tout aussi réels que des incarnations de chair et d'os.

Pour célébrer le nouveau Conquérant l'on avait donné une grande bamboula sylvestre, Obsül, dans sa grande magnificence, autorisa le lâcher de trente jeunes vierges en forêt et la chasse fut déclarée ouverte, la victoire, l'extinction de la chaudière du diable et la pacification des régions se devaient d'être dignement fêtées et il était donc question de s'amuser et rigoler un peu, mais alors que tout ce que comptait Chambord se bousculait dans les taillis pour débusquer la proie de choix qui permettrait d'achever en beauté cette soirée, l'on attrapa, après moult aboiements, cris et hurlements, d'étonnement d'abord, et ensuite d'effroi, une créature hybride, mi-homme mi-femme, poilue sur certaines parties du corps, couverte d'écailles à d'autres, qu'Obsül transperça d'un coup de lance après que la créature eut mordu au sang un chasseur. Nous venions de prendre dans nos filets, à n'en pas douter, un démon jailli des enfers.

Au tableau de chasse, le soir – l'on avait posé la chose sur la dalle en béton et les sonneurs avaient entamé l'ode rituelle –, il flottait comme un sentiment d'inquiétude et d'étrangeté qui, lorsque quelqu'un arriva en courant en glapissant qu'on avait tué le vieux, qu'il était pendu à côté du cimetière avec un pieu planté dans le ventre, tourna à la franche panique. Des forces étaient entrées dans un lieu qui vivait jusque-là en vase clos et que l'on croyait à tout jamais protégé de l'obscurité et des maléfices. Nous n'étions plus à l'abri du mal et l'on venait de nous le manifester clairement.

En rentrant au château, les deux cadavres du vieux et du monstre environnés d'un même recueillement apeuré, l'on eut la surprise de trouver le conducteur du camion arrivé la veille installé sur la pelouse, sa remorque ouverte avec un étalage comme on en voyait avant sur les marchés, et tout un fatras de livres, de gravures et de tableaux, avec une petite pancarte, Prix réduits et promotions sur les tatouages, et lui qui claironnait à notre approche profitez-en ça ne durera pas. La première chose qui me sauta alors au visage, tel un éclair éblouissant, fut *La Joconde*, dans son cadre d'or et encore protégée d'une vitre, exactement comme au Louvre, je devais en avoir les yeux comme des billes de loto parce que le forain s'est empressé de me dire en rigolant ça mon petit gars c'est pas à vendre, c'est privé, c'est que pour les connaisseurs. Je savais à quoi la chose capturée m'avait fait penser : au sourire de Mona Lisa, avec quelque chose d'épouvantable en plus.

On aurait dit que nous étions brusquement happés par une force centrifuge déformant toute notre vision des choses, donnant par exemple à l'empilement des livres un côté ahurissant, effarant, ce n'étaient que des livres d'art, et qui plus est des livres d'art moderne, à croire qu'il avait récupéré la librairie de Beaubourg ou du Palais de Tokyo. *L'Art dada et surréaliste. Pop Art. L'Art du XXe siècle. Années trente en Europe : les temps menaçants*, *Pornographie Catholique* et *Bruno Richard présentent*, et cet éparpillement de couleurs venait frapper ma rétine d'une manière désagréable et douce à la fois. Je fais des tatouages disait l'homme, n'importe quel dessin de ces livres je le reproduis à l'identique sur la peau, personne ne peut voir la différence.

Le soir on brûla le cadavre du vieux (afin d'éviter les mauvaises ondes la créature avait été emmenée pour être jetée dans la Loire) pendant que le nouvel arrivant effectuait la première démonstration de ce qui devait finalement lancer un mouvement de mode parmi nous, la reproduction parfaite d'un tableau sur le torse velu d'un barbare, rasé pour la circonstance, et qui supportait avec une stoïque indifférence le picotement de la grosse aiguille de seringue qui allait et venait sur sa poitrine.

En précipitant dans les flammes le corps de celui qui avait été notre guide nous prononçâmes, avec mes camarades, la phrase rituelle susceptible d'amoindrir ses tourments dans l'au-delà : Ο κοσμος πονος τις νομιζηται. De notre avis unanime il s'était perdu dans une dimension d'où l'on ne revenait pas. Par instants j'en avais ras le bol de toutes nos simagrées.

Comme pour nous donner raison les milliers de fantômes que l'on distinguait par intermittence dans les immenses glaces qui ornaient les étages et auxquels on s'était au fil du temps habitués commencèrent à prendre vie, à traverser le tain obscur qui les retenait jusque-là prisonniers pour venir se mêler à la foule, des personnages d'un autre âge, parfois célèbres, la trace de tout ce qui avait traversé Chambord, ou peut-être en avait été contemporain, Molière, Lulli, le comte de Saint-Germain, Ronsard, un président de la République qui aimait venir y chasser, comme si en disparaissant, happé par un au-delà imprécis, le vieux avait ouvert une porte par laquelle s'engouffrait une énergie que l'on ne pouvait ni maîtriser ni endiguer.

Obsül paraissait indifférent à tout, ou en tout cas frappé d'insouciance. La mort du vieux ne semblait pas l'avoir affecté particulièrement et quand on vint, affolé, lui annoncer qu'une nouvelle victime venait d'être découverte, l'un des nôtres une nouvelle fois, noyé dans la pièce d'eau, le cou entortillé par un fil de fer, il ne manifesta qu'un intérêt poli. Je crois que j'étais encore le seul qui réussissais à l'intéresser au monde extérieur, à nos projets, aux conquêtes et aux grands desseins que la destinée attendait de lui. Une des bandes avec qui nous commercions avait promis de nous ramener des éléphants (il était question de plusieurs bêtes rescapées d'un zoo) et avec des éléphants les choses allaient prendre une tournure autre, une dimension mythologique, comme Hannibal traversant les Alpes et volant de victoire en victoire, nous attendions donc leur venue comme le signe déclencheur qui annoncerait enfin notre mise en campagne, la levée de l'armée.

Depuis la disparition du vieux j'étais devenu le plus proche conseiller du Roi, ce que personne ne voyait d'un très bon œil.

J'avais élucidé le mystère du tableau sous verre, il s'agissait, d'après le tatoueur, bel et bien de *La Joconde*, récupérée à Paris après les inondations, à chaque fois que nous parlions j'avais la même image de lui avec une coupe de cheveux différente et soudain j'étais sûr et certain que c'était moi, mon double, un autre moi-même, avec qui je conversais d'art et de peinture, qui me prêtait tel livre ou me montrait une reproduction dans un des ouvrages qui s'entassaient toujours dans son camion. J'avais fini par me faire tatouer un Max Ernst, *La Forêt mystérieuse*, et cette image dont les couleurs apparaissaient doucement sous les croûtes sanglantes symbolisait sans l'ombre d'un doute mon renoncement définitif, malgré la magie, malgré tout ce que j'avais vécu jusqu'ici et les transformations subies, à comprendre totalement le sort du monde et son devenir. Un des éléments de la réponse m'échapperait toujours et je devais me résoudre à cette part de mystère.

Une troisième victime de notre clan fut encore retrouvée quelques jours plus tard, écrabouillée sous les sabots d'un étalon, piétinée et presque méconnaissable, et ce décès me toucha là aussi particulièrement. Des sept qui composaient notre groupe, Jean-Gilles, l'ancien guide, était peut-être celui dont j'avais été le plus proche. Il représentait, du fait même de ses origines solognotes, le ciment nécessaire entre toutes les communautés qui composaient le nouveau royaume : les chasseurs qu'il connaissait depuis longtemps et avec qui il avait des liens d'amitié, Obsül qu'il amadouait avec ses histoires sur le château, et l'Alliance réunie par le vieux ; servant régulièrement de conciliateur entre les uns et les autres, réglant des problèmes qui auraient pu vite dégénérer en des conflits plus graves.

Il laissait derrière lui, en plus de ces regrets attristés, inachevée, une *Histoire magique de Chambord*.

Sa mort fut d'ailleurs le prétexte d'une série de pogroms qui entachèrent gravement la relative harmonie dans laquelle nous vivions depuis trois ans. Apprenant la nouvelle, Jacquot, le chef des chasseurs, demanda à Obsül réparation, arguant qu'il s'agissait d'un ami proche et que le royaume ne pouvait pas continuer comme ça, en laissant assassiner ses plus fidèles serviteurs, d'autant plus que le bruit courait que les barbares étaient impliqués dans l'affaire, Jean-Gilles les ayant paraît-il dénoncés pour une histoire de méthadone dissimulée (depuis un moment en raison de leur raréfaction tous les produits stupéfiants étaient frappés du monopole royal, personne n'avait le droit d'en faire usage, sous peine de mort et de torture) et devant autant de véhémence Obsül n'eut d'autre choix que de convoquer les principaux chefs, qui à leur tour se défaussèrent et accusèrent les juifs, ou du moins ceux que l'on appelait ainsi, qui composaient une sous-caste au sein des barbares, et qui en fait n'étaient pas particulièrement juifs mais juste ceux qui professaient pour la religion musulmane un dédain marqué, qui ne saluaient pas en se tapant le cœur de leur poing fermé, qui fumaient ou buvaient pendant le ramadan, et qui s'étaient regroupés dans l'ancien club hippique, dont les box à chevaux servaient maintenant de huttes à la tribu. Les barbares ordinaires accusèrent donc les barbares juifs, qui se rebellèrent, tant et si bien que la situation tourna en eau de boudin et qu'au final il y eut une bataille, les juifs furent massacrés, l'on fit des jours durant marcher sans relâche la Salamandre et l'odeur de cochon grillé empuantit Chambord d'un nuage chargé de souvenirs douloureux et sombres.

Dieu merci au moment où la situation devenait franchement pesante les éléphants surgirent de la brume un matin, deux gros et un éléphanteau, drivés par les pillards, à la grande joie du camp qui acclama les nouveaux venus au cri de Vive Babar, Vive les Babars, et l'on décréta illico une fête pour célébrer ce signe évident d'un juste retour des faveurs du ciel. C'était un réconfort de voir tous les jeunes se battant pour jouer au cornac, excitant les animaux, sous le regard flegmatique du tatoueur, qui, en peu de temps, avait pris place dans le paysage, traçant à longueur de journée un éventail infini de peinture moderne sur les peaux d'une plèbe inculte et pourtant sensible à la joliesse de ces toiles qui ornaient auparavant les musées des grandes villes du monde occidental.

Le Remorqueur rose, *Craie noire et de couleur sur papier ivoire*, *La Nuit espagnole* ou *Nature morte au violon*, des images puisées dans les mille et un catalogues en possession de cet artiste d'un genre nouveau pour qui j'éprouvais un mélange d'attirance, de répulsion et de méfiance, j'avais essayé de l'intégrer à une de mes propres toiles mais pour la première fois depuis mon installation ici le sujet m'avait résisté.

Peu après la mort de Jean-Gilles, alors que les pogroms faisaient rage, nous avions tenté une ultime réunion où il fut décidé d'abandonner la magie et nos cérémonies, tout ce que nous avions fait jusqu'à présent me dégoûtait soudain, les monstres et les formes invoqués et le pouvoir illusoire sur la matière et sur les autres que cela nous avait donné, la seule constante était la vanité de notre entreprise comme tout ce qu'avaient pu essayer les habitants de la terre depuis les premiers temps, et ce qui restait gravé de manière indélébile dans mon esprit c'étaient les derniers moments du vieux et ce tableau abominable de son âme perdue à tout jamais dans les marais putrides et les vapeurs de soufre, avec en fond une voix doucereuse qui lui chantait, *voulez-vous danser grand-père, voulez-vous valser grand-mère*, comme une épitaphe poétique scellant de manière grotesque le destin qui l'attendait.

Beaucoup d'objets, de parties métalliques, les gonds, les poignées des fenêtres, s'étaient d'un seul coup couverts de rouille et il nous semblait soudain que cette lèpre allait se répandre et contaminer l'ensemble de Chambord, la pierre, les gens, les arbres, une rouille invincible sortie comme les fantômes du bord des miroirs, tel un chancre invulnérable venant ronger par-derrière, presque sournoisement, la vie résistant encore. En perdant notre mentor et deux de nos camarades nous avions perdu aussi notre pouvoir et les prodiges auxquels nous avions accès, je voyais une spirale nous emporter doucement et la Terre petit à petit disparaître et s'effacer, bue par une encre noire et sans miséricorde, insensible à nos tourments et à nos peines, et nous n'y pouvions rien et comment aurait-il pu en être autrement ?

Avec les éléphants était survenue toute une clique dont on se serait volontiers passé. A Chambord même si beaucoup de ceux qui étaient là étaient des durs et des méchants, il y avait un certain respect pour l'ordre établi, tout le monde y ayant intérêt, même au sein de la plus grande anarchie doit régner un semblant d'organisation, mais cette fois les nouveaux venus ne respectaient pas les règles, se conduisaient de manière encore pire que les pires que nous avions connus, et, le comble, sans pratiquement provoquer de réaction de la part du roi. A se demander même si Obsül n'avait pas un peu peur d'eux car il ne disait trop rien, se contentant de temporiser, de dire que mais non, les types étaient sympas, qu'ils avaient juste besoin de s'amuser un peu et que d'ailleurs ils nous avaient amené des éléphants, jusqu'à la goutte qui fit pourtant déborder pour de bon les limites du supportable, quand les salopards attaquèrent le harem et violèrent l'ensemble des protégées royales.

– Quoi, avait réagi Obsül, attaqué qui ?

Nous étions en train de jouer aux échecs avec le comte de Saint-Germain, entourés des immenses cartes de Sologne, de France, d'Europe et du reste du monde que j'avais installées, devisant sur tout ce que nous allions faire de ces nouvelles terres, la manière dont nous en tirerions profit et comment il faudrait les administrer, avec diplomatie mais fermeté, quand un des gardiens du harem, en sang, avait surgi porteur de l'insupportable nouvelle.

Combien de cités criminelles n'avons-nous pas laissé prospérer pendant un certain temps ! A la fin nous les visitâmes de notre châtiment.

Avec les nouveaux arrivants nous avions eu droit à une escouade de religieux, bardés de principes et de noms d'Allah, invoquant moult sourates régissant jusqu'aux moindres détails du quotidien, et sur le moment là aussi Obsül avait temporisé, il avait adopté vis-à-vis de la religion, ou en tout cas de ce qu'il en restait, le comportement prudent d'un gouvernant avisé, ménageant les susceptibilités et surfant sur la vague quand les circonstances le permettaient. A dire vrai il n'y avait aucune cohérence entre les interdits prononcés un jour par ces ayatollahs et le comportement des mêmes le lendemain – nous avions eu droit à la projection d'une vidéo d'Aquaboulevard dévasté où l'on voyait plusieurs de nos bons amis s'amusant dedans, on reconnaissait les jacuzzis remplis d'excréments et les toboggans étaient tout défoncés, des femmes se faisaient violer et au centre de ce qui restait de la piscine s'improvisait une orgie bestiale, c'est encore cool Paris avait commenté un des saints hommes, si on reste pas les deux pieds dans le même sabot il y a moyen de se la donner bien –, c'était une succession d'attitudes puériles et entêtées avec lesquelles il fallait composer en permanence, seulement quand Obsül apprit l'horreur, l'ignominie des outrages prodigués à ses fiancées, à ses petites chéries sacrées que personne n'avait le droit de toucher, la première chose qu'il fit ce fut d'attraper un des imams qui passait par là et de le fracasser en hurlant contre le dallage de la salle, au pied du lit où paraît-il avait dormi François Ier, et puis après il avait foncé, comme un dingue que personne n'aurait pu retenir, et il avait zigouillé les uns après les autres les violeurs en hurlant qu'on lui avait volé ses femmes, ses biens les plus précieux, et nombreux furent ceux chez les barbares du premier camp qui se joignirent à lui pour anéantir la racaille.

Cet épisode venait s'ajouter à la disparition en cascade des survivants de notre groupe, que l'on retrouva là encore tués, de manières diverses au fil des jours, et, après les pogroms des juifs, l'on aurait volontiers pu penser qu'un brouillard opaque était en train de s'abattre sur nous, que le temps du château était venu à terme et que ce dernier bastion d'humanité, si chaotique qu'il ait pu paraître, allait lui aussi sombrer dans la terreur et dans la nuit. Il n'en fut pourtant rien, nous traversâmes ce nouvel épisode avec l'indifférence de ceux pour qui demain comme hier n'était ni exactement d'une importance capitale ni d'une substance propre à nous déstabiliser. Tout juste si Obsül, réalisant que tous les sorciers, à l'exception de moi-même, étaient maintenant disparus, s'inquiétait parfois des suites de la prophétie, et je devais le rassurer en lui rappelant l'histoire du Vinci, le Vinci c'est une référence à un peintre et ce peintre est prépondérant, patiente un peu et fais-moi confiance.

Les gens qui sortaient des miroirs étaient charmants, souvent d'un commerce agréable, immatériels et un peu lunaires et à la fois toujours prompts à engager une discussion, faire un petit jeu de société ou un tour de chant. Il n'y avait plus de fuel, les groupes électrogènes s'étaient définitivement arrêtés, plongeant dans un noir désespérant les téléviseurs sur lesquels la cour s'exerçait auparavant à la console, les joueurs s'étaient donc rabattus sur le Monopoly, les Mille Bornes ou les amusements divers dont nous avions un jour récupéré une cargaison.

De toute façon nous n'eûmes guère le temps de profiter de ces nouvelles activités ludiques, tout de suite après l'accalmie qui avait suivi la turbulence des pogroms et des massacres nous fûmes confrontés à un nouveau phénomène qui acheva de nous faire basculer dans l'étrange et la perplexité : les taches de rouille que l'on pouvait observer depuis plusieurs mois sur le bord des miroirs s'étaient effectivement au fur et à mesure répandues sur les pierres, sur les objets, parfois sur les arbres du parc et l'on avait pu constater que cette lèpre ignoble avait tendance à évoluer vers une sorte de mousse d'abord, qui paraissait agitée d'un bouillonnement imperceptible la faisant onduler de frémissements inquiétants, puis carrément vers des formes plus élaborées, des cocons filandreux d'où étaient nées un matin des créatures minuscules mais à l'allure parfaite, que je n'avais pas tout de suite identifiées, c'est alerté par les cris des barbares que j'avais découvert en m'approchant une petite silhouette, haute de quelques centimètres, dont les yeux paraissaient lancer des éclairs et qui vociférait un chapelet d'insultes suraiguës et incompréhensibles, un des ostrogoths l'avait écrasée entre ses mains et une mousse bleuâtre s'en était échappée, pendant que la forme rendait l'âme. En une semaine, coïncidant avec l'arrivée du printemps, le château et les alentours en étaient remplis.

JUNON

Quand tu m'auras bien regardée, Pâris, il reste encore quelque chose à considérer, c'est le prix de la victoire : car si tu me l'adjuges, je te ferai roi de toute l'Asie.

PÂRIS

Je ne suis point ambitieux, mais ne vous ferai point d'injustice. Retirez-vous, que Pallas s'approche.

PALLAS

Si tu te prononces en ma faveur, je te rendrai invincible.

PÂRIS

Je ne me pique point de valeur, et le royaume de mon père est en paix, mais vous n'avez rien à craindre, je ne me laisse corrompre ni par promesses, ni par présents, reprenez vos habits et vos armes ; que Vénus s'avance.

Les formes finissaient par réussir à crever la toile qui les retenait prisonnières et à jaillir à l'air libre, au départ renfrognées et un peu grognons, comme s'éveillant d'une sieste, avant de se propulser parmi nous et de nous clamer, telle une ode charmante et triste, une litanie de poèmes et de chants tragiques dont elles étaient à la fois les auteurs mais aussi les acteurs : venus des quatre coins de la planète les dieux du monde entier étaient en train de s'incarner sous les traits inattendus de ces milliers de poupées afin de nous conter leurs peines et leurs malheurs, leurs histoires abracadabrantes et leurs tragiques destinées.

– Qu'est-ce que c'est que ce bordel ? avait dit Obsül, c'est encore une connerie de la sorcellerie ?

Je voyais Zeus et Poséidon qui trépignaient en se chamaillant.

Des dieux.

Les dieux de la terre rendus tout riquiqui sous l'effet d'on ne savait quel prodige.

Tous les dieux depuis le début de l'humanité jusqu'à aujourd'hui même, la veille de l'anéantissement final.

C'était comme si sous l'effet d'un psychotrope un peu trop fort nous avions fomenté un délire supplémentaire.

– Non, j'avais répondu, si c'est de la sorcellerie ce n'est pas la mienne.

Et la vérité c'est que j'étais fatigué, depuis la disparition des autres, de mes camarades, mon pouvoir d'action sur le monde physique avait décru, j'avais l'impression de patiner, de revenir parfois à des sensations d'avant, de recommencer à voir les choses comme je les voyais dans le temps, de façon bête et émotive, sous le joug terre à terre des fluctuations de la réalité, et parfois me reprenait l'idée que j'étais fou et que c'était moi qui inventais tout, les catastrophes, les pogroms, Obsül et le château, dans lequel j'organisais ce cauchemar à ma convenance.

– Non, j'avais réinsisté, ce n'est pas de la sorcellerie, c'est autre chose et je ne sais pas pourquoi ça arrive.

La seule chose que je pouvais penser c'est que peut-être, de la même manière que j'avais effacé nom après nom la mémoire de bon nombre d'habitants de la terre, sur mon petit ordinateur, dans la maison abandonnée du notaire, les dieux venaient aujourd'hui dans une dernière représentation saluer ceux qu'ils avaient accompagnés des siècles durant.

Au début de leur apparition les barbares s'étaient amusés à les tuer, pour rire évidemment, mais aussi par crainte de ce que pouvaient provoquer les affreux gnomes, très vite l'on s'aperçut pourtant que tous ceux qui s'étaient rendus coupables de tels meurtres étaient pris dans les jours qui suivaient de convulsions et mouraient dans des tourments affreux.

Il y avait Janus et Pluton, Chrysor, un dieu phénicien, avec Mammon, et Pan, et Melchom, Hécate, Omane, Vishnou, Shiva, Thétis, Baphomet, Astarté, des dieux sortis d'un autre âge, des dieux africains, australiens, papous, indiens, des dieux de toutes sortes comme s'il en pleuvait, et chacun avait créé la terre, ou les hommes ou le soleil, ou protégé telle ou telle activité de son œil bienveillant, ou au contraire était capable de vous plonger dans l'enfer, les bêtes buveuses de sang du Bardo Thödol comme les Singes Dégoûtants qui peuplaient les mythologies du fond des temps, une armada de figurines adorées par les différents peuples de la terre et que nous voyions aujourd'hui sous la forme de modèles réduits, se démenant en tous sens dans un soubresaut désespéré pour ne pas disparaître. Après avoir essayé de les tuer les barbares s'étaient fait une raison et s'habituaient à cette présence étrange, Obsül avait confisqué à son profit ceux des démons lui paraissant les plus puissants, les plus aptes à lui conférer enfin le pouvoir voulu et quant à moi j'errais de salle en salle, poursuivi par un accompagnement vociférant de demi-dieux improbables et de sombres héros de mythes oubliés.

Le fait même de leur taille réduite avait quelque chose de spécial, qui faisait considérer ces grandes figures d'une autre façon (l'on gardait en mémoire des monuments, des colosses, Zeus ou Poséidon, ou Hercule), de les revoir ainsi, petites statuettes douées d'une vie intermittente, avait une fonction presque attendrissante, en tout cas qui démystifiait à tout jamais cette idée lointaine mais toujours présente de vastes domaines arpentés par des esprits supérieurs cajolant de leurs encouragements les pauvres terriens aveugles et innocents que nous étions.

Il ne nous restait déjà pas grand-chose et les dieux avaient décidé de venir agoniser parmi nous, et qui plus est de venir agoniser sous la forme décevante de nains disgracieux.

Une nuit je rêvais de nouveau, comme cela m'était déjà arrivé au début du déluge, que les Immortels gouvernant le monde se réunissaient et décrétaient l'alerte rouge maximale.

L'alerte rouge maximale était l'indicateur ultime en cas de crise terrible.

Le ciel avait fini par se couvrir d'une sorte de nappe blanche, striée d'innombrables filaments translucides (comme pour nous prévenir de l'imminence d'un orage d'un genre particulier), qui faisait au-dessus de Chambord une cloche protectrice et étouffante, d'ailleurs il arrivait souvent au cours de la journée que nous soyons pris d'asphyxie, l'air paraissant se raréfier et un poids funeste nous enserrait la poitrine, nous montrant là encore que la fête était terminée et qu'il fallait dorénavant retourner à des sujets plus graves, à une vie moins frivole.

Le seul endroit qui me paraissait à l'abri des fluctuations atmosphériques et des turbulences liées à ce déferlement de gnomes criards restait le cœur de l'escalier, autour duquel s'enroulaient les deux vis parallèles, cœur où je passais de longs moments, apaisé et tranquille, à méditer sur cette idée, l'absence et le vide à l'intérieur des choses, une vacuité totale d'où était issu le cosmos entier, invisible et immatériel comme un souffle léger et doux, avant de repartir dans le chaos extérieur, accompagné par cette radio persistante qui, le premier amusement passé, vous portait sur les nerfs comme une vrille déstabilisante et impitoyable, les barbares en devenaient dingues et Obsül n'en était guère loin non plus.

Nous avions eu ensemble une discussion, qu'allions-nous faire et surtout que fallait-il envisager, et pour la première fois il était apparu désemparé, fragile, le stock d'opiacés qu'il gardait en réserve avait fondu comme neige au soleil, nos rêves de conquêtes aussi, les éléphants avaient fini pitoyablement rôtis par les barbares, seul l'éléphanteau avait échappé à ce sort funeste et certainement prévenu de ce qui l'attendait n'avait pas réapparu depuis, nous étions tous les deux comme des idiots, moi décontenancé par l'abandon des forces invisibles qui m'avaient jusque-là si bien guidé et lui la goutte au nez, bâillant toutes les trente secondes que ça faisait bizarre d'être en manque, qu'il n'avait plus l'habitude et qu'il n'aimait pas ça.

Je peignais maintenant de grandes étendues gelées, des paysages glacés d'où rien ne surnageait, le scintillement des icebergs avait des reflets roses et bleutés, le soleil y était pâle et dépourvu de toute chaleur, tout était saisi dans une éternité immobile, un Groenland infini déposant aux siècles des siècles son silence de cristal, et même si par extraordinaire cette banquise réussissait à fondre il n'y avait en dessous que l'empreinte impalpable de vagues fantômes végétaux, irradiant eux aussi la même sérénité figée et transie, toutes traces d'autres vies avaient également disparu.

Les affreux lutins commencèrent à agoniser doucement après le solstice de printemps, on ramassait leurs cadavres blanchis par le gel nocturne sur les terrasses, dans les cours et aux abords du château. Quelqu'un avait songé à empailler un ange mais une fois le décès consommé les chairs, certainement réaspirées par les puissances de l'au-delà, semblaient se liquéfier et se dissoudre dans l'atmosphère, ne laissant comme souvenir de leur apparition que l'écho de piaillements qui bizarrement continuait des jours entiers à retentir dans les couloirs, hantant de ces vociférations un rien diaboliques nos jours déjà soumis aux turbulences angoissantes d'un avenir qui prenait chaque jour des formes de plus en plus inédites et inquiétantes. Nous avions cru détenir un pouvoir absolu sur le monde et nous nous étions trompés. J'apercevais parfois dans le reflet des glaces mon ancien mentor, le vieux, et ses autres acolytes et leur regard triste et résigné n'était pas fait pour me détromper.

Ce chant à tendance macabre avait fini par s'éteindre et à la place la transparence de l'air s'est constellée de myriades de lettres, de toutes sortes, une déclinaison de l'alphabet qu'on distinguait par instants, mais par instants seulement, lorsque l'on tournait la tête brutalement ou que l'on plissait les yeux en regardant de côté, en louchant,

aaaaaaaaaaakkkkkkkkkkkkkl l l l l l l l l l r r r
r r r r r r r t t t t t t t t t zzzzzzzzzz
nnnnnnnnnnnppppppppppppsssssssshhhhhhhhhh
hhqqqqqqqqqqqqqvvvvwvvvv
j j j j j j j j j j j j j j j j xxxxxxxxxxxxxxxx
bbbbbbbbbbbbbbbbbbbbbcccccccccccc

ces lettres prenaient des formes, dessinaient des corps et des conglomérats d'arabesques dans lesquels se devinaient des entités plus sombres, accompagnées d'une note basse et inquiétante, une sorte d'ôm diffus qui se répandait partout dans le château à la manière d'une vague lente et sûre de son amplitude, parfois les lettres étaient mêlées,

ayrtihloeplarteurteui i i i i
etetejsuehfiucvioeâfhsgieuqso
etrueiar r teiasduenbdfpertaierqbvdjenrt t
raraorteznds
yertrabdinegdsfqkjeldggartsdvdflfpgneydbsh
gqfeztdkoepfdkfng, d

mais alors dans ce cas la musique était plus confuse, presque hachée, et source d'une angoisse encore plus grande, comme si nous allions mourir, ou même pire que ça, être engloutis à tout jamais dans ce son déroutant qui paraissait contenir l'univers, le Grand Tout aussi bien que l'infinité de ses déclinaisons.

Parfois aussi les lettres se transformaient en chiffres, en de monstrueuses équations qui pivotaient sur elles-mêmes comme sur un axe – à la manière de ces présentoirs de vitrines commerciales qui, avant, mettaient un point d'honneur à vous faire découvrir sous tous ses profils le modèle chouchou de la dernière collection dans le coup –,

xxx   –   y   (a2   –   558)
97687954345678987656789043209877x-z
3+c-r
#-È -
E8888888888888888888888888888888888
888888888888888
76548767890898767654446779098767655
44324565443556 x = x-zz (t-z-a)

et dans chacune de ces opérations se profilaient un souvenir et le sens de ce souvenir, des souvenirs plus nombreux que si j'avais mille ans et qu'un génie malin, tiroir après tiroir, ouvre des pans entiers d'une partie de ma mémoire dont je n'avais jusqu'ici même pas soupçonné l'existence.

Obsül était une équation chiffrée, les pierres du château étaient une équation chiffrée, les gens que je croisais étaient une équation chiffrée, chaque geste, chose, objet, personne, fait, bruit et mouvement l'était, d'une façon que je ne percevais pas de manière visuelle mais au plus profond de mon corps, un autre moi qui n'était ni mon cerveau, ni mes capacités d'analyse habituelles s'était mis en branle, décortiquant au millionième de seconde les informations qui surgissaient, sans pourtant que j'arrive à les mettre en mots, la connaissance qui me parvenait était devenue d'un autre ordre, aussi fulgurante qu'indicible.

Je ne sortais plus du château, je restais cantonné dans les étages, guettant du haut des terrasses les

signes annonciateurs de la suite, de notre couronne-
ment au plus haut du royaume des cieux, j'avais averti
Obsül de l'issue probable de tout cela, bien peu seraient
sauvés mais nous serions du nombre, lui et moi. Les
nouvelles qui nous parvenaient de l'extérieur n'étaient
pas bonnes, on annonçait des troubles et peut-être une
révolte des gueux, mais je n'en avais cure, laissons du
temps au temps, et ayons confiance, les fantômes
avaient réintégré les miroirs et avec Obsül nous jouions
au Cluedo, aux dés et au Trivial Pursuit, égrenant au
fil des cartes les mélodies d'un savoir qui n'avait plus
aujourd'hui la moindre signification. Parmi les bruits
qu'un espion nous avait rapportés il était question
d'organisation des gueux en espèce de secte, élisant à
leur tête la femme dont nous avions brûlé l'enfant irradié lors de notre sortie triomphante, à chaque fois que
j'y pensais j'avais des images de martyres chrétiens, de
catacombes et la femme m'apparaissait semblable à
l'héroïne de *Métropolis*, avant que le Mal s'empare
d'elle et que l'ignoble savant la transforme en clone.

Comme il n'était pas question que le pouvoir reste
muet devant les prémices d'une rébellion possible nous
ordonnâmes de nouveaux sacrifices. La Salamandre fut
installée sur la pelouse face à l'entrée, entre le château
et le camp des barbares qui au fil du temps et des
bagarres et des morts de toutes sortes s'étaient singu-
lièrement clairsemés, chaque jour amenait son lot de
nouvelles victimes expiatoires, d'abord les vieillards et
les malades et puis, comme l'on n'en trouvait pas assez,
des femmes et des enfants.

Nous assistions à ce rituel depuis les terrasses, l'on
avait remis la main sur une caisse de Théralène
qu'Obsül sirotait les yeux dans le vague pendant que
je dégustais des caramels trouvés sur un fugitif, des
caramels enrobés de papier argent que je dépiautais en
songeant à tous les massacres perpétrés depuis le commencement du monde, à Néron et aux guerres inutiles

qui avaient peuplé l'Histoire, il me venait l'idée curieuse que peut-être j'étais devenu moi-même (après avoir pourtant approché les chemins du plus haut), le grand prêtre accompagnant au bout du cauchemar un roi fou et avide d'horreur.

Les gens que l'on amenait les mains liées derrière le dos hurlaient, se démenaient, refusaient jusqu'au dernier instant l'issue fatale, mais immanquablement, poussés par les bourreaux, finissaient quand même dans la gueule du monstre. Souvent mes pensées s'égaraient vers des époques de pureté où la terre ne connaissait ni présence humaine ni pollution d'aucune sorte, où ses paysages grandioses et vierges s'étendaient dans une courbe infinie par-delà les océans et il me semblait que nous œuvrions dans ce sens, vers un nettoyage complet, le dernier, et que cela était bien ainsi, notre temps était venu à son terme et il fallait maintenant faire place nette, laisser l'endroit aussi propre que lorsque nous l'avions trouvé et j'étais l'un de ceux que l'Ordre Suprême avait missionnés pour cette tâche.

J'imaginais une nuit pleine d'étoiles et le sol qui défilait à trois cents à l'heure, la surface de la terre était dure et froide, il n'y avait pas encore de vie, juste des pierres et de la poussière et il faisait noir.

« ... et, maudits, ils auront souillé la terre... »

De nouveau cela sentait le cochon grillé, nous avions fini par nous habituer à cette odeur, aux supplices, aux gémissements et à cet air de martyrs qu'arboraient immanquablement les suppliciés, alors qu'aveugles ils ne se rendaient même pas compte que c'était la délivrance et non l'enfer qui venait à leur rencontre.

Le cœur des choses m'échappait.

J'étais semblable à ces pèlerins qui, à genoux, rampaient le long du labyrinthe de la cathédrale de Chartres et que le serpent des dalles renvoyait vers l'extérieur sitôt qu'il leur semblait être en mesure de gagner le centre, mais contrairement à eux je n'avais apparemment nulle rosace colorée qui m'attendait au bout de mon chemin.

J'étais perdu.

Parfois un des bougres levait les mains en direction du château, des balcons d'où Obsül et moi accompagnions les sacrifices, me donnant ainsi l'impression d'être une sorte de divinité égyptienne, d'un signe officialisant leur passage vers l'au-delà, refusant froidement les supplications que l'on m'adressait.

J'étais tels ces alchimistes qui, près du but, échouent dans leurs dernières manipulations.

« *Tout d'abord, nous unissons, puis nous putréfions, nous dissolvons ensuite ce qui a été putréfié, nous purifions ce qui a été dissous, nous réunissons ce qui a été purifié et nous le coagulons.* »

Et j'avais beau me triturer la cervelle jusqu'à la migraine je ne comprenais pas quel faux pas j'avais pu commettre.

Je devenais de plus en plus mélancolique, de plus en plus inquiet et décidé d'en finir moi aussi un jour prochain.

D'immenses ombres avaient remplacé les divinités minuscules. (Peut-être les ombres des géants qui les avaient enfantées.) Leurs silhouettes venaient hanter le parc.

En m'éveillant un matin je pris la décision de parler avec Obsül, de lui proposer un holocauste collectif, un grand suicide comme il s'en fomentait à la fin du dernier siècle dans l'espoir de vérifier la réalité des dimensions supranormales, l'existence des extraterrestres ou tout simplement la pertinence de l'idée de Dieu.

Nous étions perdus et plus personne maintenant n'aurait pu nous sauver. Les travaux de rénovation que sur mon ordre les ouvriers avaient commencés s'étaient arrêtés et l'escalier était tout encombré d'échafaudages.

Un suicide.

Le parachèvement de la solution finale.

Dis : Nous attendons tous la fin. Attendez, vous aussi, et vous apprendrez qui de nous tient le sentier droit, qui de nous est dirigé.

Et puis à l'instant même où je songeais à tout ça, à notre échec, au moyen qu'il nous faudrait employer si nous voulions mourir, vraisemblablement le poison, j'ai entendu comme le bruit d'un tam-tam, un roulement de tambour aigrelet, soutenant une mélodie totalement saugrenue venant trouer les toiles d'araignées accumulées par des éons de sortilèges, et cela m'a fait penser que depuis l'arrêt des groupes électrogènes, la musique nous avait manqué à tous.

Enlève ta culotte
Et puis ton soutien-gorge
Regarde le soleil brille
Et la mer est toute bleue

Allô a fait une autre voix, allô, il y a quelqu'un.

Nous allons nous aimer
Comme des amoureux
Oublie tes préjugés
Et laisse-toi aller
Je sens que tu vas aimer
Le goût de mes baisers.

Une chanson, mon Dieu, d'une trivialité et d'une gaieté en même temps qui m'ont laissé coi et stupéfait, le genre de ritournelle que l'on écoutait avant à la radio avec consternation, *La Danse des canards* et *Donne-nous donc à boire la Margot*, avec un petit quelque chose en plus qui fait que, sans même m'en rendre compte, j'ai éclaté de rire.

Enlève ta culotte
Et puis ton soutien-gorge

Le type qui apparaissait avait des lunettes à gros foyer, épaisses comme des loupes, et une coupe de cheveux, j'en hoquetais, on aurait dit un clown.

Il m'a semblé que simultanément, des diapositives immenses étaient projetées sur les murs et les plafonds et que l'on y voyait Marianne et beaucoup d'autres gens que j'avais connus.

Ahahahahahaha, s'est contorsionné le clown, ohohoh-ohohohoh, le reste de la troupe tapait dans leurs mains.

Ils étaient une dizaine, tous affublés de déguisements grotesques, bariolés, ou trop grands, avec un je ne sais quoi qui leur donnait une touche comique et ridicule, qui vous donnait instantanément envie de rigoler, si bien que sans même réfléchir à comment ils avaient pu arriver jusqu'à la partie interdite, jusqu'à nous, j'ai appelé Obsül pour qu'il vienne voir. Tu es un petit oiseau, m'entourait une fille de ses voiles et de ses cheveux dénoués, tu es un petit oiseau, doux comme une plume, qui vole, vole, et sur Obsül le même charme a là aussi instantanément opéré parce qu'il avait beau être avachi sur son lit à cuver son manque et ses douleurs, dès que le carnaval a surgi, *C'est le roi Dagobert qui mettait son pantalon à l'envers*, il a lui aussi éclaté de rire, exactement comme si nous étions face à un fluide magique, un rayon spécial hilarant, que les Rigolus soient arrivés à gagner irrémédiablement la guerre sur les Tristus.

— Irrémédiablement, a déclamé celui qui avait des lunettes à double foyer, diablement irréel vous voulez dire, non ?

Et son voisin s'est battu les cuisses en braillant quel esprit Roberto, comme tu es fin ce soir, diablement irréel mais quel sens de la poésie, de l'aphorisme, et

Roberto, modeste, a dit tu sais c'est juste un jeu de mots, rien de plus, se foutant ouvertement de ma gueule sans que j'arrive à me mettre vraiment de mauvaise humeur. Sur une des diapositives, je voyais mon ancien fils, celui que j'avais eu avec Marianne et qui était mort, son corps était d'une pâleur d'ivoire que j'ai trouvée jolie. Pfuit, pfuit a mimé la petite souris comme si elle allait faire pipi par terre et Roberto a demandé où étaient les toilettes, repris par la troupe qui s'inquiétait aussi des douches, de la cuisine, commençant à mettre un bordel sans nom, avec celui aux lunettes qui faisait semblant de s'excuser, excusez-les vous savez, c'est des comédiens, et des comédiens en tournée je peux vous garantir que c'est la croix et la bannière, en nous adressant des petits clins d'œil, des mimiques faussement désolées, pendant qu'ils se répandaient partout, fouillaient dans les placards, sortaient un Butagaz pour faire chauffer du café, putain du café a dit Obsül, ça fait six mois qu'on n'en a plus, se bagarraient pour le jeu de Mille Bornes qu'un petit déguisé en Popeye venait de dénicher, et provoquaient un tel chambard que nos gens ont fini par accourir pour voir ce qu'il se passait, ce que c'était que ce bazar, si le roi était devenu fou, avait une crise et était encore en train de tout casser.

– C'est bon, les a calmés Obsül, c'est des acteurs, ils viennent pour une pièce.

Ce qui a fait s'esclaffer les funambules, oui, une pièce, exactement, nous avons une mise en scène sur le feu que nous aimerions vous présenter, ha, ha !

Dehors, par les ouvertures, on distinguait toujours les ombres, plus hautes que les arbres, qui montaient comme des fusées vers le ciel et nous regardaient en ricanant. J'étais tenté de faire un bilan total, d'additionner un à un tous les faits et gestes dont je m'étais rendu coupable depuis mon apparition en ce monde, dans cette vie comme dans les précédentes, chargeant la balance jusqu'à obtenir un résultat précis, une certitude sur ce que j'avais réussi ou raté.

Un moment j'avais cru qu'il s'agissait peut-être encore des créatures des miroirs, mais comme il ne se dégageait pas d'eux cette impression diaphane et éthérée que l'on sentait chez les fantômes, j'en ai finalement conclu, même s'ils arboraient cette apparence bizarre d'échappés d'un asile surnaturel et qu'on les aurait volontiers imaginés dans une de ces bandes dessinées pour adultes fantasmagoriques où la réalité est soudain peuplée de super-héros bizarres et de créatures aussi improbables que foldingues, que nous avions bel et bien affaire à des vraies personnes de chair et d'os.

A dire vrai il y avait une nette parenté avec le tatoueur, qui avait disparu un matin en laissant comme seule trace de son fugace passage des œuvres gravées sur le derme de notre petite population.

L'un des bateleurs ressemblait à Vercingétorix.

Un autre à Bugs Bunny.

Une des filles aurait pu jouer sans problème le rôle de la petite souris dans un conte pour enfants.

Il y avait trois gros trapus au faciès de singe qui portaient des costumes de bagnards et une jolie blonde qui n'aurait pas déparé en sainte. Celui à lunettes en cul de bouteille s'appelait Roberto et le chef de tout cela, si tant est qu'ils aient eu un chef, avait pour nom Barnabé et m'évoquait irrésistiblement un personnage de livre qu'on me lisait lorsque j'étais petit, *La Révolte des jouets,* où ledit Barnabé incarnait un méchant très inquiétant.

En quelques heures ils avaient pris possession du lieu, nous laissant tous pantois et médusés, des affiches étaient apposées un peu partout, annonçant une représentation prochaine, *Ils sont donc venus les fils du ciel,* comédie en cinq actes écrite par B. Lemage, R. Diablo et W. Angelier.

C'était exactement comme si l'invisible avait tenu à se manifester de manière grossière et lourdingue, dans une sorte de caricature d'apparition saugrenue.

J'avais des frissons de fièvre et je ne me sentais pas bien.

Je marchais en boitant sous un ciel noir et menaçant d'où sourdait une pluie d'éclairs, le premier me touchait de plein fouet mais je continuais malgré tout à avancer, vaille que vaille, vers d'autres tremblements de terre.

La pièce commençait par ces vers :

Vois-tu, gentil lutin joli
Il n'y a pas qu'au cœur du brasier
Que la chaleur, évanescente, nous éblouit.

Je crois que si l'on avait réussi à condenser ces formes sombres qui rôdaient aux alentours, à les presser ensemble à la manière des sculptures modernes qui associaient en les réduisant la carcasse d'une voiture et quelques pierres précieuses, c'est la figure même du Diable, du mal absolu, qui en serait sortie, à moins au contraire que, les nuages se dissipant, on ait finalement découvert derrière toute cette noirceur les prémices d'un enchantement cosmique, l'immanence radieuse de cieux moins compliqués.

Pour l'occasion, cette représentation théâtrale à laquelle nous étions conviés, j'avais revêtu mon costume de conseiller spécial et Obsül la robe d'empereur que je lui avais fait confectionner pour les cérémonies.

L'ensemble de Chambord s'était déplacé pour l'événement, dans un coin de la foule j'ai aperçu Jacquot, avec les autres chasseurs, et il m'a semblé qu'une chose terrible se tramait à mon insu, qu'on nous voulait du mal et que ma fin était proche.

Une fois de plus je voyais des nombres, posés sur des fils invisibles, horizontaux et verticaux, abscisses et ordonnées étranges suspendues dans l'éther.

18. C'est ici la sagesse que celui qui a de l'intelligence calcule le nombre de la bête. Car c'est un nombre d'homme, et son nombre est six cent soixante-six.

Les nuages étaient de plus en plus bas mais il ne pleuvait toujours pas. La pièce a continué, environnée d'un silence inquiétant, un silence malfaisant.

– Le feu brûle, hurlait Bugs Bunny.

– Le feu fait mal, lui répondait Vercingétorix.

– Au bûcher les tyrans, a clamé Roberto à l'intention de la foule, au bûcher les salopards !

Et du côté des chasseurs quelqu'un a crié, je crois que c'était Jacquot : « T'as raison qu'on va les griller, on en a assez supporté », un coup de feu a claqué et le comédien s'est écroulé par terre pendant que tous les chasseurs se mettaient à tirer, des carabines apparues au bout de leur bras comme par magie et avant que quiconque ait eu le temps de réagir les barbares étaient fusillés à bout portant, Obsül et moi enchaînés, traînés au rez-de-chaussée du château, j'ai juste eu le temps de voir Barnabé frapper le sol de son manche de pioche en prononçant une phrase incompréhensible, *Dera dabba uthao*, me confortant dans l'idée définitive que j'étais plongé depuis toujours au cœur d'un gigantesque cirque, toute la troupe d'acteurs s'est volatilisée aussi sûrement qu'un halo de poussière dans le vent du soir, je vis un rêve, un rêve de fou et je vais me réveiller, la fin du monde n'a jamais eu lieu, je vais me réveiller, prendre mon petit déjeuner et tout ira bien.

Mais au lieu de ça on m'a roué de coups, attaché avec des chaînes et un cadenas et puis parqué au pied du grand escalier, dans le centre vide autour duquel s'enroulaient les deux vis, des chasseurs sont montés aux étages et toute la soirée j'ai dû supporter les sarcasmes et le jet de détritus et d'excréments, que l'on me lançait en riant, la femme dont nous avions brûlé l'enfant était venue elle aussi et de me voir si piteux elle avait ri également, un rire léger et pétillant, un rire de soulagement de voir enfin le monstre puni et anéanti.

Si je me remémorais Notre-Dame de Paris, la cathédrale, j'étais pratiquement certain qu'il existait dans une dimension parallèle à la nôtre son pendant exact, fait de lumière et de cristal. Mais si j'essayais de me la représenter, éblouissante dans un azur pâle et éthéré, elle se recouvrait immédiatement d'une couche épaisse de crème Mont Blanc au chocolat, qui lui donnait soudain l'aspect d'un gros entremets dégoulinant et il me semblait être moi-même changé en plomb, que la transmutation que j'avais espérée non seulement n'avait pas eu lieu mais qu'à l'inverse je régressais, que j'étais irrémédiablement attiré par le bas.

Partout dans le château on entendait des cris de joie et des acclamations, vers le milieu de la nuit les révolutionnaires sont venus me narguer en brandissant la tête d'Obsül, l'échafaud, l'échafaud pour les tyrans, sanguinolente et déjà toute raidie dans une expression figée, la même qu'il avait quand il était très défoncé. Je m'attendais à subir le même sort, une décapitation pure et simple, mais l'on m'apprit un peu plus tard qu'un bûcher était en train de se dresser et que je devais y brûler vif, le feu brûle, le feu fait mal, au bûcher les sorciers, j'avais encore dans les oreilles les vociférations des apparitions de carnaval, le feu brûle et cela allait être mon destin.

Quand on m'a sorti le ciel était encore noir et quelqu'un a dit il faut se dépêcher il va pleuvoir. J'avais peur d'avoir mal et de souffrir. J'ai essayé d'argumenter, tout ce que j'avais fait je l'avais fait pour eux, pour le bien de tous, je n'en avais tiré ni profit et très peu d'avantages.

En montant sur le tas de rondins mon pied a glissé et je me suis explosé le genou sur une bûche. J'avais le souvenir du *Temple du Soleil*, quand Tintin et Haddock sont condamnés par les Incas, j'aurais voulu être chez moi, être en train de lire ou de peindre. J'ai encore demandé qu'au moins on fasse attention à mes toiles, qu'on les garde, qu'il s'agissait d'un témoignage unique sur une époque troublée de la Terre mais, sans vergogne, mes bourreaux ont empilé mon œuvre sur le bûcher.

– Meurs, ont hurlé tous les salopards, crame, tu vas cramer, enculé.

Ils m'auraient volontiers fait rôtir dans la Salamandre mais il n'y avait plus de gaz. Ils ont lancé des brandons et les premiers fagots se sont enflammés. J'avais dans les oreilles un bruit énorme qui résonnait, un boum boum comme en font les monitorings qu'on pose sur le ventre des femmes enceintes pour écouter le cœur du bébé. Le doigt de Dieu dans un ciel tout blanc a braillé le même énervant rouquin qui avait commenté l'algarade entre un barbare et Obsül le jour de ma première chasse. Le doigt de Dieu dans une mare de sang, c'est plutôt ça la vérité. J'ai rêvé que je partais avec Bugs Bunny, Vercingétorix, le gros Roberto et les singes bagnards. La fumée a commencé à devenir insoutenable et je me suis mis à tousser. J'étais à l'avant de la camionnette, Wendy me faisait un sourire et Joël, qui tentait un come-back, me parlait d'un de ses vieux associés qui était tombé en prison à cause d'une jolie mignonne de dix-sept ans qui s'appelait Marie-Pierre.

Le bruit du monitoring a pris des proportions infernales.

Barnabé qui conduisait la camionnette a accéléré et je me suis fait la remarque qu'il ne s'était pas mis à pleuvoir, mais que le temps semblait vouloir se mettre au beau.

Je n'aurais pas été étonné que l'on voie un arc-en-ciel.

J'ai respiré un grand coup.

Après tout j'étais encore vivant et c'était quand même là l'essentiel.

Ce livre contient plusieurs emprunts :

page 109 à *Electre* d'Euripide

page 125 et suivantes au *Miroir de la Tauromachie*, de Michel Leiris

page 160 à *Prométhée*

page 210 aux *Guerres* de Jules César.

La Série noire, *Les Racines du mal*, dont il est question page 113 est de Maurice Dantec.

Le *Nécronomicon* est publié aux éditions Belfond.

Les poèmes et chansons sont reproduits avec l'aimable autorisation des Films du Garage.

D'autre part, l'auteur tient à remercier ses interlocuteurs au château de Chambord et à la Centrale de Saint-Laurent-des-Eaux pour leur gentillesse et leur disponibilité.

UNE NOUVELLE GÉNÉRATION D'ÉCRIVAINS POUR UNE NOUVELLE GÉNÉRATION DE LECTEURS

Photocomposition Assistance 44-Bouguenais
Achevé d'imprimer en Europe (France)
par Maury-Eurolivres – 45300 Manchecourt
le 11 février 1999.
Dépôt légal février 1999. ISBN 2-290-05152-7

Éditions J'ai lu
84, rue de Grenelle, 75007 Paris
Diffusion France et étranger : Flammarion

5152